EEN EEUW VORSTINNEN

Een Eeuw Vorstinnen

Dra M.G. Schenk

Honderd jaar vrouwen op de Nederlandse troon

dB

1989 – De Boekerij – Amsterdam

Omslagontwerp en grafische verzorging: Heidi Franke

CIP-GEGEVENS KONINKLIJKE
BIBLIOTHEEK, DEN HAAG

Schenk, M.G.

Een eeuw vorstinnen : honderd jaar
vrouwen op de Nederlandse troon /
M.G. Schenk. – Amsterdam : De Boekerij. –
Foto's
ISBN 90-225-0986-9
SISO 936.4 UDC 321.727-055.2(492)'18/19'
NUGI 643
Trefw.: Oranje-Nassau, Huis van ;
geschiedenis ; 19e/20e eeuw / vorstinnen ;
Nederland ; geschiedenis ; 19e/20e eeuw.

Inhoud

DE HOOGTE DES HEMELS, DE DIEPTE DER AARDE
EN HET HART DER KONINGEN ZIJN NIET TE DOORVORSEN

Spreuken 25:3

Inleiding

De wijsheid van koning Salomo, aan wie de Spreuken worden toegeschreven, geldt op het eerste gehoor niet helemaal meer. Wij weten meer over de door Salomo genoemde hemel en aarde. Wij menen te weten dat het heelal oneindig is, maar wat is oneindig? Wat moeten wij ons daarbij voorstellen? Salomo wist dat de aarde goud, zilver en koper bevatte; wij weten dat dit slechts een zeer klein deel is van de schatten die wij uit de aarde naar boven kunnen brengen. Maar weten wij of wij kolen, gas, olie, uranium enz. ongestraft uit de diepte kunnen weghalen?
Wij weten veel meer over en van onze koninginnen, wier hart voor ons is opengegaan, dan onze voorouders een eeuw geleden over hun koningen. Wij mogen toevoegen dat zij ook veel meer van ons weten. Dit is vooral te danken aan de moderne communicatiemiddelen en aan de emancipatie. De koning is niet langer de op zeer grote hoogte gezetene, die veelal door de onderdanen werd gezien als de vertegenwoordiger van God op aarde en dan speciaal in het vaderland. De woorden waarmee nog elke wet begint, behalve de grondwet: 'Wij, Beatrix, bij de gratie Gods koningin der Nederlanden, prinses van Oranje-Nassau enz. enz.', hebben een andere vertolking gekregen. De koningin herinnert eraan, dat zij haar taak vervult bij de gratie van God, maar de mondig geworden burgers weten dat zij van hun taak hetzelfde kunnen zeggen: zij vervullen die ook door de genade van God, dank zij en uit hun geweten. In de gratie Gods, naar hun geweten, staan koningin en landgenoten naast elkaar.
Wil dit nu ook zeggen dat wij het hart der koningen doorvorsen? Nee, want wiens hart kennen wij zo dat wij het kunnen doorvorsen? Wij kennen het niet van onze zeer naasten en zelfs niet van ons zelf, dus zeker doorvorsen wij het niet van vrouwen met wie wij toch niet zulke nauwe banden hebben. Datgene wat zij tot ons en de wereld hebben gezegd, de wijze waarop zij met ons hebben gewerkt en geleefd, dit alles maakt dat wij haar kunnen kennen, maar doorvorsen, nee.

1. Een eeuw ontwikkeling, ook van vorstinnen

Zondag 23 november 1890 noteert een Rotterdamse zakenman in zijn dagboek: ' 's Morgens te 5.15 uur overleed op Het Loo koning Willem III, de laatste telg uit het Huis van Oranje – God zegene ons Vaderland.' En op 4 december lezen wij in hetzelfde dagboek: 'Begrafenis van koning Willem III. Lena gaat met Cor, Truus, Dirk, Jan en Cato per vigilante 's morgens om 7.30 uur naar Delft op de markt. Frits loopt erheen met anderen.'
De zakenman was snel op de hoogte van het overlijden van de koning, vermoedelijk doordat hij op weg naar de kerk langs het gebouw van de krant kwam en daar een 'bulletin' zag hangen. Er zullen echter heel wat Nederlanders zijn geweest die het pas enkele dagen later hoorden. De grootmeester van de koning had in de ochtend van 23 november een telegram verzonden – telefoon was er immers nog nauwelijks – aan alle burgemeesters met het verzoek het bericht op de gebruikelijke wijze aan het raadhuis bekend te maken, dus aan te plakken. Telegrammen werden ook op zondag besteld; in de kleinste gemeenten zal dit voor deze gelegenheid wel geschied zijn bij de burgemeester aan huis. Zo'n telegram is vermoedelijk eveneens naar persbureaus gegaan die het doorseinden aan die kranten die op hun dienst geabonneerd waren. De grootste Nederlandse kranten hadden correspondenten in Apeldoorn en in Den Haag, die het bericht al enkele dagen hadden verwacht en dus 'postten' bij de paleizen. Zij seinden het door. De zondagedities waren natuurlijk al gedrukt en verspreid en daarom nam de dienstdoende redacteur een bulletin-vel, schreef daar met grote letters het 'nieuws' op en hing dit buiten. Dit

▲ *In 1933 vierde koningin-moeder Emma haar 75ste verjaardag met een grote hulde in het Amsterdamse stadion, uiteraard in gezelschap van haar dochter en kleindochter. Emma had na de dood van haar man de rouw nooit helemaal afgelegd. De Nederlanders kenden haar alleen met het weduwenkapje, dat vaak van kostbaar kant was. Emma wist veel van kloskant af en had er een grote verzameling van. Het zou de laatste verjaardag van de koningin-moeder zijn.*

▲ *In 1890 werd Wilhelmina formeel koningin; 48 jaar later werd haar eerste kleindochter geboren: Beatrix, die een andere jeugd zou krijgen dan haar grootmoeder had gekend en die dus ook veel opener en nuchterder in het leven zou staan.*

werd dan verder wel rondverteld. Zelfs na de Tweede Wereldoorlog waren dergelijke bulletins nog gebruikelijk.
Telegrammen zijn ongetwijfeld ook gegaan naar de gouverneur-generaal van Nederlands-Indië en de gouverneurs van Suriname en de Antillen, maar het kan vele weken geduurd hebben voordat Nederlanders in de buitengewesten wisten dat Nederland geen koning meer had, maar een koningin.
In de nacht van 28 november 1962 overleed koningin Wilhelmina, ook op Het Loo. Om half acht in de ochtend wist heel Nederland het; de radio had het bericht om zeven uur gegeven. Wie het niet zelf had gehoord, had wel een telefoontje gekregen van een luisteraar. Wereldomroep en buitenlandse radiodiensten verspreidden het nieuws. Prinses Beatrix, die een grote studiereis maakte door het Verre Oosten, was al 's nachts ingelicht en zij kon in weinig meer dan 24 uur terug zijn op Soestdijk.

Zeer vele Nederlanders besloten op de dag van Wilhelmina's begrafenis, 8 december, niet naar Den Haag of Delft te gaan om er getuige van te zijn. Zij konden immers alles veel beter – zij het in zwart-wit – zien op de televisie. Op die manier waren zij zowel 'aanwezig' bij het uitdragen van de kist aan het Voorhout, als bij de rit van Den Haag naar Delft en konden zij de uitvaartdienst meemaken als waren zij zelf in de Nieuwe Kerk.

◀ *Op 6 september 1948 tekende koningin Wilhelmina de acte van troonsafstand; zij zou daarna zeggen, dat zij grondwettelijk dood was. Zij zei dat omdat de grondwet bepaalt dat een koning, die afstand heeft gedaan van de troon, die troon nooit opnieuw kan bestijgen.*
Juliana's eerste daad als koningin was het tekenen van het besluit waarin haar moeder werd benoemd tot ridder eerste klas in de Militaire Willemsorde. Dit betekende een erkenning door de regering van de uitzonderlijke prestaties van koningin Wilhelmina in oorlogstijd. Op 6 september 1948 sloeg Juliana haar moeder en een aantal verzetsmensen tot ridder.

Ruim drie jaar later zou de Rijks Voorlichtingsdienst aan de binnen- en buitenlandse schrijvende pers vragen, wat de vertegenwoordigers wilden: het huwelijk van prinses Beatrix en Claus von Amsberg bijwonen in hetzij het stadhuis of de kerk, of dat zij 'alles' liever wilden volgen op de grootbeeld-televisie in hotel Krasnapolsky.

De stem van koningin Emma hebben, buiten haar eigen kring, heel weinig Nederlanders gehoord; zeker negentig procent van hen kende haar niet van aangezicht tot aangezicht, hoogstens van – veelal door de hoffotograaf – gemaakte foto's. In 1914 – het beginjaar van de Eerste Wereldoorlog – richtte koningin Wilhelmina zich met een kerstboodschap tot haar volk; de onderdanen konden de boodschap in hun krant lezen. Wie geen krant las, wist er niet vanaf. Het zou tot 1927 duren, eer de koningin voor een microfoon sprak. Dit gebeurde toen niet in Hilversum en de woorden van de koningin en haar dochter waren niet in Nederland te horen. Op 31 mei en 1 juni spraken zij in Eindhoven tot Oost- en West-Indië; wij zijn geneigd te zeggen als 'sponsors' van Philips, die als eerste ter wereld korte-golfuitzendingen over grote afstanden in praktijk bracht. Voor de Nederlanders in het 'moederland' kwam zij voor het eerst voor de radio met haar kerstgroet in 1931. Toen achtte de koningin het kennelijk gewenst de volgende inleidende woorden te spreken: 'Voor mij is het heden een reden tot dankbaarheid mij op dit ogenblik door de radio met u allen verbonden te weten en daardoor zovele landgenoten te kunnen toespreken. Het is als scheidde ons geen afstand, als toefden wij in elkaars tegenwoordigheid. Ik zie in ons contact door de ether het beeld van een hogere band, door God zelf gelegd, die de gehele mensheid omvat.' En dan voegt zij eraan toe dat zij haar kerstgroet zal voorlezen (niet uitspreken), zo vreemd is het nieuwe medium haar nog wel! Op de televisie zouden wij als eerste koningin Juliana zien. Dat was pas in 1960.

Tot ver in de jaren dertig gaf koningin

▲ *Op 1 juni 1927 trokken Wilhelmina en Juliana naar Eindhoven. Als eerste ter wereld zou Philips een radioverbinding over grote afstand beginnen. De koningin zou deze openen. Het moesten twee uitzendingen worden; één voor 'de Oost' (Nederlands-Indië) en één voor 'de West' (Suriname en de Antillen). Vanwege het tijdverschil kon dit niet op hetzelfde ogenblik. De tijd tussen de beide uitzendingen brachten koningin en prinses door in de koninklijke trein, waar zij enkele uren konden slapen. In die dagen was het nog niet denkbaar dat de koningin zou rusten in het huis van een onderdaan, ook al heette die Philips.*
In de uitzending sprak Juliana woorden die profetisch zouden zijn. Zij zei: 'Het is een bijzonder aardig denkbeeld, dat ik vandaag met u allen mag spreken en wel langs de nieuwe weg, waarvan de ontdekking immers van zo grote betekenis zal blijken te zijn.'

◀ *Theoretisch had de koning natuurlijk altijd behoord tot de stemgerechtigde Nederlanders; hij voldeed zelfs aan de zwaarste eisen die aan dit recht werden gesteld. Maar geen van de koningen is ooit ter stembus getogen. Koningin Wilhelmina had tot haar 42ste geen stemrecht, want zij was een vrouw en zo iets belangrijks als stemmen was tot 1922 een mannenzaak!*

Toen veranderde het: er kwam ook voor vrouwen algemeen kiesrecht; Wilhelmina heeft er nooit gebruik van gemaakt, ook niet na haar abdicatie. Volgens haar moest de koningin volstrekt onpartijdig zijn en wie stemde was dat niet. Bij de verkiezingen voor de Provinciale Staten in 1935 had Juliana de stemgerechtigde leeftijd bereikt. Zij is toen één keer gaan stemmen; daarna niet meer, tot zij afstand van de troon had gedaan. Juliana en Bernhard hebben inmiddels verklaard dat zij nu weer naar het stembureau gaan, al voegde de prinses er nadrukkelijk aan toe dat zij volstrekt geen partij koos. Dit kan alleen maar betekenen dat zij het biljet oningevuld inlevert of het ongeldig maakt door meer dan één vakje rood te maken.

Wilhelmina de voorkeur aan handgeschreven brieven en beschouwde zij de telefoon (behalve in de familiekring) als een communicatiemogelijkheid voor noodgevallen. In haar Londense tijd tikte zij zelf haar missiven en telefoneerde zij geregeld met haar ministers, met Engelandvaarders en vele anderen. Maar pas koningin Juliana zou een directe telefoonlijn krijgen met de minister-president.
Niet alleen het nieuws bereikt ons veel en veel sneller en is voor ieder van ons zichtbaar, ook de mensen zelf verplaatsen zich, alsof het heel gewoon is, over de gehele wereld.
Toen koning Willem III in 1878 na de dood van koningin Sophie op de ge-

dachte kwam naar Waldeck-Pyrmont te gaan om daar een bruid te zoeken, gelastte hij zijn adjudant-secretaris een speciale trein te huren, die hem van Weimar, waar hij op dat ogenblik verbleef, naar Pyrmont zou brengen. Het gelukte de secretaris na veel moeite, want iets wat op een lijndienst leek, bestond tussen deze plaatsen niet.
Koningin Wilhelmina beschrijft in haar herinneringen *Eenzaam maar niet alleen* hoe zij na haar huwelijk nog per rijtuig van Het Loo naar haar moeder op Soestdijk ging. De afstand was langs de toenmalige wegen misschien vijftig kilometer. Hij werd in vier uur afgelegd hetgeen, met een keer wisselen van paarden, heel snel was.
Als prinses Margriet dezelfde rit maakt en niet in een file terechtkomt, doet zij er per auto minder dan drie kwartier over.
De KLM is de oudste luchtvaartmaatschappij ter wereld, opgericht in 1919, maar koningin Wilhelmina wilde aanvankelijk niets van vliegen weten; zij zou er voor het eerst in 1942 gebruik van maken, toen zij moest oversteken van Ierland naar Amerika om daar te pleiten voor de belangen van haar volk in bezet gebied. Het maken van de reis per boot was vanwege de duikboten van de nazi's veel te gevaarlijk. De koningin overwon haar afkeer van een luchtreis omdat die nodig was voor 'de haren'.
In de zomer van 1914 belde de minister van Buitenlandse Zaken de directeur van het persbureau Vaz Dias om informatie te krijgen over het al dan niet uitbreken van een oorlog: de postduiven van Vaz Dias werkten sneller dan de diplomatieke telegraaf!

Toen de tienjarige Wilhelmina in 1890 koningin werd, was de negentiende eeuw naar jaren bijna ten einde, maar politiek, economisch en maatschappelijk nog geenszins. Toen haar vader koning Willem III in 1849 het bewind aanvaardde, was Nederland een parlementaire democratie. Dit wilde zeggen dat er een gekozen Eerste en Tweede Kamer waren waaraan de ministers verantwoording schuldig waren; de koning was onschendbaar. Er was een eind gekomen aan de toestand waarbij de ministers in feite de dienaren van de koning waren. Ook toen er tijdens de Tweede Wereldoorlog geen parlement was, bleef de verantwoordelijkheid aan de ministers, zij het dat koningin Wilhelmina een grote stem in het kapittel had.
Aan de democratie schortte echter, ook toen Wilhelmina koningin werd, nog wel het een en ander. Dit bleef zo tot na een grondwetswijziging van 1887, die in 1900 effectief werd, al werd het aantal kiezers toen aanzienlijk uitgebreid. Volgens de grondwet van 1887 mochten stemmen: 'alle mannen die voldeden aan kenmerken van maatschappelijke welstand en geschiktheid.' Vrouwen werden nadrukkelijk uitgesloten, nadat de eerste vrouwelijke arts, dr. Aletta Jacobs, zich in de jaren zeventig als kiesgerechtigd had aangemeld.
De welstand kon gemakkelijk vastgesteld worden aan de hand van belastingbiljetten; de geschiktheid ofwel de mate van ontwikkeling werd – zoals men al spoedig zei – per examen onderzocht. Het was duidelijk dat een analfabeet niet geschikt was. Nederland heeft dank zij het calvinisme altijd weinig analfabeten gehad, maar zij waren er in 1900 nog wel. Leerplicht zou pas in het eerste jaar van de twintigste eeuw worden ingevoerd.

In 1900 bleken ruim 600 000 van de ruim 5 miljoen Nederlanders kiesgerechtigd te zijn, dus ongeveer 1 op de 4 mannen. Die behoorden in overgrote meerderheid nog tot 'de betere standen' en onder hen overheersten

▲ *Er zijn altijd staatsstukken die door de koningin getekend moeten worden. Ook tijdens de vakanties en buitenlandse reizen worden ze de koningin nagebracht, die ze dan meestal in de trein of in het vliegtuig bekijkt. Deze foto is genomen in de koninklijke trein, 20 februari 1950.*

liberale opvattingen: velen vonden dat de overheid zich zo min mogelijk met de samenleving moest bemoeien. De toenmalige liberale heren zouden het natuurlijk nooit zo gezegd hebben, maar het kwam er wel op neer dat zij meenden dat iedereen zijn eigen boontjes maar moest doppen. Heel wat middenstanders slaagden erin dit te doen.
Er waren echter grote groepen, die het gewoon niet konden: de 'werklui' in industrie en handel, in de agrarische en dienstverlenende sector hadden er geen tijd voor. De werkdagen waren veel en veel te lang, vaak moesten man en vrouw beiden buitenshuis werken om hun – soms vele – kinderen althans te eten te geven en onderdak in een éénkamerwoning zonder eigen watervoorziening. Men werkte en sliep en vervulde daarbuiten hoogstens 'kerkelijke plichten'. De vervulling van die plichten was het enige dat een beetje op een verzekering leek; wie dit deed, kon als de nood door ziekte of dood heel groot was geworden, een beroep doen op de armenzorg van de kerken.
Politieke partijen en vakbonden waren er nog nauwelijks. In 1871 was een Algemeen Nederlands Werkliedenverbond opgericht, in 1877 gevolgd door het protestantse Patrimonium en in 1888 door de Rooms-Katholieke Volksbond. Deze organisaties zouden pas veel later echte vakbonden worden. De eerste die men als zodanig kan betitelen is de Vakbond van Diamantbewerkers (1894). Die kreeg vorm in hetzelfde jaar waarin de Sociaal Democratische Arbeiderspartij (S.D.A.P.) tot stand kwam. De Anti-Revolutionaire Partij (A.R.P) werd formeel opgericht op 1 januari 1878, maar ging pas een echte rol spelen met dr. Abraham Kuyper, die in 1874 voor het eerst lid van de Tweede Kamer werd en in 1901 minister-president. Toen al werkten de anti-revolutionairen en de katholieken nauw

▲ *29 juni 1982: koningin Beatrix en prins Claus hebben een veertiendaags staatsbezoek aan de Verenigde Staten gebracht. De foto is genomen in de regerings-Fellowship waarin zij de terugreis maakten.*

samen, al zou de Rooms-Katholieke Staats Partij (R.K.S.P.) pas in 1926 officieel worden.
Het enige sociale wetje dat er voor 1890 bestond, was de kinderwet-Van Houten van 1874, waardoor de ergste vormen van kinderarbeid werden verboden. Maar de wet die bepaalde welke sancties aan het overtreden van dit wetje zouden worden verbonden, dateert van 1890. Onder het regentschap van koningin Emma kwam er een veiligheids- en ongevallenwet, maar het zou tot november 1918 duren voor er werkelijk een begin werd gemaakt met arbeidswetgeving. Toen vaardigde koningin Wilhelmina, uiteraard onder verantwoordelijkheid van het kabinet, na een mislukte poging tot revolutie een proclamatie uit, waarin zij onder andere zei: 'Het is mijn verlangen de voorgenomen hervormingen door te zetten en aan te vullen met de snelheid die past bij de polsslag van deze tijd.'
Het tempo van die polsslag was mede bepaald door activiteiten van de arbeidersbeweging, die in 1918 heel wat meer betekenis had dan in 1898, zij het dat het tot na 1945 zou duren voor regering, werkgevers en werknemers met elkaar gingen onderhandelen op voet van volledige gelijkheid.

Na 1918 hadden de hervormingen voorlopig nog betrekking op het kiesrecht en de arbeidsduur. In 1917 was het algemeen kiesrecht voor mannen ingevoerd; in 1922 zouden ook de vrouwen het krijgen. Er kwamen wetten die de maximale arbeidsduur bepaalden op acht uur per dag. Sociaal werd nog vrijwel alles aan het particulier initiatief overgelaten; pas na 1945 kon men, op grond van wetten, recht doen gelden op uitkeringen krachtens verzekeringen en was men niet op de genade van kerken of – na 1930 – van de overheid aangewezen. Wie werkloos werd door de grote economische crisis die op Zwarte Donderdag in 1929 in Wall Street was begonnen en al spoedig ook Europa teisterde, had geen enkel recht op uitkering. Als het echt heel nodig was, konden bepaalde groepen steun aanvragen bij de overheid. Men moest twee maal per dag 'stempelen', op steeds wisselende uren, om te voorkomen dat men ook maar het geringste karweitje 'zwart' verrichtte. Men kreeg een bedrag dat te groot was om van dood te gaan en te klein om van te leven.
Prinses Juliana nam het initiatief tot oprichting van een Nationaal Crisiscomité, dat acties moest voeren om gelden bijeen te brengen voor de erg-

▲ *Op 30 april 1980 tekende koningin Juliana de acte van haar troonsafstand: enkele uren later werd koningin Beatrix in de Nieuwe Kerk in Amsterdam ingehuldigd.*
Deze gang van zaken maakte dat er voor het eerst sinds 1949 op 30 april geen defilé werd gehouden voor de koningin. Om de velen niet teleur te stellen die zich, voordat Juliana haar plan om af te treden bekend had gemaakt, al voorbereid hadden om naar Soestdijk te gaan, stemde Juliana ermee in dat er een laatste defilé werd gehouden op 31 mei. Nadat duizenden langs het bordes waren getrokken, maakten Juliana en Bernhard nog een rondrit per auto.

ste slachtoffers. Zij stelde haar paleisje in Den Haag als kantoor ter beschikking en werd ere-voorzitster van het comité. Bij de installatie, in 1931, hield zij natuurlijk een rede; wie goed luisterde, kon eruit opmaken dat de prinses niet erg gelukkig was met het feit dat men de mensen op deze wijze moest helpen. Zij zei onder andere: 'Mogen zij, die schroom voelen voor het ontvangen van hulp, verstaan hoe de buitengewoon ernstige omstandigheden het geven tot een buitengewoon genoegen maken.'

In 1945 zou Juliana weer een soortgelijk initiatief nemen, maar nu lagen de zaken heel anders. Nu ging het om door de nazi's aangerichte schade en rampen. De poging om die, waar mogelijk, snel te herstellen, was een zaak voor het gehele Nederlandse volk. De stichting Nederlands Volksherstel had als voornaamste doel alle acties die waren voorbereid in bezet Nederland, in Engeland en in het al bevrijde zuiden, te coördineren. De prinses werd nu geen ere-voorzitster, maar voorzitster zonder meer. De installatierede die zij nu hield, was heel anders van toon dan die in 1931. Een fragment: 'De gehele bonte schaar van groepen die hulp wil inbrengen in de nood van thans, zit om een tafel, is samengekomen om een gemeenschappelijk plan te ontwerpen. Wij zijn zeer talrijk. Het herfstbos is niet kleurrijker met vele pas opgekomen paddestoelen dan Nederland thans is, in zuid en noord, in west en oost, met

◀ Koningin Wilhelmina vierde haar verjaardag in feite alleen in eigen kring. In het hele land organiseerden gemeentebesturen en Oranjeverenigingen wel allerlei bijeenkomsten op 31 augustus, maar een lid van de koninklijke familie was daar nooit bij. Koningin Juliana gaf vele duizenden elk jaar de gelegenheid naar Soestdijk te komen om haar geluk te wensen.
De vele bloemen en de talloze bijzondere broden die haar dan werden aangeboden, vonden snel hun weg naar zieken-, verzorgings- of kinderhuizen.
Beatrix, wier geboortedatum (31 januari) niet bepaald aantrekkelijk is voor buitenfeesten, doet het weer anders: zij handhaaft 30 april als koninginnedag. Dan gaat zij naar enkele gemeenten toe om daar aan de feestelijkheden deel te nemen. In 1988 ging zij naar Kampen en plaatsen in de buurt, maar volslagen onverwacht kwam zij ook naar Amsterdam. Zij was voornemens in het paleis een tentoonstelling van werk van jonge kunstenaars te openen, maar zij wilde ook iets van de zogenoemde vrijmarkten zien, die op 30 april in de binnenstad worden gehouden.
Uiteraard was de burgemeester ingelicht over de plannen van de koningin, maar zelfs de politie hoorde er pas zo kort van te voren van, dat zij nog net op tijd mensen naar de buurt van de Egelantiersgracht kon zenden, waar de koningin met een rondvaartboot zou aankomen. Onderweg zei een van de Jordaners dat hij haar een zoen wilde geven. Ten aanschouwe van heel televisiekijkend Nederland kreeg Beatrix er een.

zijn vele hulpacties... in Volksherstel komen alle acties tot elkaar, de illegale en de voor- en na-oorlogse legale. De zorg voor de medemens willen wij allen betrachten in een grote tijd, in een grote nood. Dit is een actie van allen voor allen.' Later zou blijken dat de prinses iets te optimistisch was geweest.

Koningin Wilhelmina placht naar toenmalige opvattingen nog te spreken over 'mijn volk' en over 'de haren'; haar dochter gebruikte 'wij' en 'allen', zij hoorde erbij. Wilhelmina, Juliana en Beatrix hebben bij hun inhuldiging gezworen, dat 'ik de algemene en bijzondere vrijheid en de rechten van al mijn onderdanen zal beschermen'. Had de inhuldiging van koningin Beatrix drie jaar later plaats gevonden, dan was er van 'onderdanen' geen sprake meer geweest.

Toen was de zeer oude tekst uit de grondwet verdwenen; de wet die een nieuwe formulering zal vaststellen voor de eed (of belofte) die ooit Willem Alexander zal uitspreken, zal het woord 'onderdanen' beslist niet meer bevatten. Immers, al bij de inhuldiging van koningin Juliana had de voorzitter van de Eerste Kamer, die de bijeenkomst van de Staten-Generaal ter gelegenheid van de inhuldiging voorzat, een rede gehouden, hetgeen vroeger niet gebruikelijk was geweest. In 1980 herinnerde zijn opvolger dr. Th.L.M. Thurlings daaraan. Na te hebben gezegd dat er in 1948 reden was om te wijzen op het feit dat het koningshuis in de oorlog het teken had gevormd van nationale eenheid, vervolgde hij: 'Tegelijkertijd evenwel was het feit van het uitspreken van een rede te beschouwen als een teken dat een nieuwe tijd was aangebroken. Niet langer immers was er de onderdaan, die ootmoedig het hoofd boog voor de nieuwe monarch, maar de landgenoot trad naar voren, die met respect en vol vertrouwen het nieuwe staatshoofd begroette.'

DE AFSTAMMING VAN HET H

Tak van Otto.

HENDRIK III

WILLEM „de Oude"

Stamreeks XXVIII

RENÉ (Reinaert) van Châlon
— zoon van Hendrik III — Graaf van Nassau-Vianden, enz., Prins van Oranje.
Geb. 5 Febr. 1519 te Breda.
Erft in 1530, na de dood van zijn oom Philibert van Châlon, het prinsdom van Oranje, Algemeen Stadhouder van Holland, Zeeland en Gelderland.
Trouwt in Aug. 1540 ANNA — dochter van Hertog ANTON II van LOTHARINGEN.
René sneuvelt 18 Juli 1544 bij het beleg van St. Dizier aan de Marne. Het prinsdom Oranje en al zijne bezittingen komen aan zijn neef WILLEM, oudsten zoon van Willem „de Oude".

WILLEM I
— oudste zoon, eerste kind uit het 2e huw. van Willem „de Oude" — Prins van Oranje, Graaf van Nassau, Markgraaf van Veere en Vlissingen, Baron van Breda, Burggraaf van Antwerpen enz.
Geb. 24 April 1533.
Stichter van het Oranje-Nassau Huis. Gouverneur (Stadhouder) en Luitenant des Konings over de provinciën Holland en Zeeland, West-Friesland (Noorderkwartier van Holland), Overijsel, Gelderland, Utrecht, Vlaanderen en Bourgogne.
Trouwt: 1e. 6 Juli 1551 ANNA — erfdochter van MAXIMILIAAN VAN EGMOND, Graaf v. BUREN, Stadhouder van Friesland enz.; 2e. 24 Aug. 1561 ANNA — dochter van Maurits, Keurvorst van Saksen, van welke hij in 1574 scheidde; 3e. 12 Juni 1575 CHARLOTTE — dochter van Hertog LODEWIJK VAN BOURBON-MONTPENSIER, en 4e. 12 April 1583 LOUISE — dochter van den Admiraal van Frankrijk GASPAR DE COLIGNY.
Vermoord 10 Juli 1584.

JOHAN „de Oude"
— derde kind van Willem „de Oude" — Graaf van Nassau-Dillenburg enz.
Geb. 22 Nov. 1536.
Stadhouder van Gelderland.
Brengt 23 Jan. 1579 de Unie van Utrecht tot stand.
Trouwt: 1e. MAGDALENA, Gravin van Waldeck; 2e. 6 Juni 1559 ELISABETH — dochter van GEORGE, Landgraaf van LEUCHTENBERG; 3e. 13 Septemb. 1580 CUNIGONDA JACOBA — dochter van Graaf FREDERIK III, Keurvorst van de Paltz; en 4e. 14 Juni 1586 JOHANNETTE — dochter van LODEWIJK, Graaf van SAYN—WITTGENSTEIN.
Overleden 8 Oct. 1606.
Het regerende Koninklijk Huis stamt in rechte lijn af van Johan „de Oude"

LODEWIJK
— vierde kind van Willem „de Oud
— Graaf van Nassau.
Geb. 10 Jan. 1538.
Sneuvelt 14 April 1574 op de Mook heide.

ADOLPH
— zesde kind van Willem „de Oud
— Graaf van Nassau.
Geb. 11 Juli 1540.
Sneuvelt 23 Mei 1568 bij Heiligerl

HENDRIK
— twaalfde kind van Willem „ Oude" — Graaf van Nassau.
Geb. 15 Oct. 1550.
Sneuvelt 14 April 1574 op de Mook heide.

XXIX

(1e huwelijk)
PHILIPS WILLEM
Prins van Oranje, Graaf van Nassau-Buren enz.
Geb. 19 Dec. 1554.
Trouwt 23 November 1606 Prinses ELEONORE — dochter v. HENDRIK I, Prins de BOURBON-CONDÉ.
Overleden — kinderloos — 20 Febr. 1618.

(2e huwelijk)
MAURITS
Prins van Nassau en Oranje enz.
Geb. 14 Nov. 1567.
Stadhouder van Holland, Zeeland, Utrecht, Overijsel, Gelderland, Drente en Groningen.
Overleden 23 April 1625.
Ongehuwd.

(4e huwelijk)
FREDERIK HENDRIK
Prins van Nassau en Oranje enz.
Geb. 28 Febr. 1584.
9 Mei 1625 Stadhouder van Overijsel, Holland, Zeeland, West-Friesland, Utrecht, Gelderland, Limburg en de landen van Overmaze, Drente, Groningen en Wedde.
Trouwt 4 April 1625 AMALIA — dochter van JOAN ALBERT, Graaf van SOLMS-BRAUNFELS.
Overleden 14 Maart 1647.

(2e huwelijk)
ERNST CASIMIR
Graaf van Nassau-Dietz.
Geb. 22 Dec. 1573.
Stadhouder van Friesland, Groning en Drente.
(Friese tak der Nassau's).
Huwt 8 Juni 1607 SOPHIA HEDW
— dochter van HENDRIK JULI
Hertog van Brunswijk-Wolffenbut
Sneuvelt 2 Juni 1632 vóór Roermo

XXX

WILLEM II
Prins van Oranje enz.
Geb. 27 Mei 1626.
Stadhouder der Verenigde Provinciën en Kapitein-Generaal der Unie.
Trouwt 12 Mei 1641 HENRIËTTE MARIA STUART — dochter van Koning KAREL I van Engeland.
Overleden 6 Nov. 1650.

LOUISE HENRIËTTE
Prinses van Oranje en Nassau.
Geb. 27 Nov. 1627.
Huwt 7 Dec. 1646 FREDERIK WILLEM, Keurvorst van Brandenburg.
Overleden 6 Juni 1667.

ALBERTINA AGNES
(Zie Willem Frederik).

HENRIËTTE CATHARINA
(Zie Hendrik Casimir II).

HENDRIK CASIMIR
— oudste zoon van Ernst Casimir — Graaf van Nassau-Dietz.
Geb. 21 Jan. 1612.
Stadhouder van Friesland, Groningen en Drente.
4 Juni 1640 dodelijk gewond vóór Hulst.
Overleden 12 Juni 1640.

WILLEM FREDERIK
— tweede zoon van Ernst Casimir
Graaf — op 23 Nov. 1652 Vorst v
Nassau-Dietz enz.
Geb. 7 Aug. 1613.
Stadhouder van Friesland, Groning en Drente enz.
Huwt 2 Mei 1652 ALBERTINA AGN
— dochter van FREDERIK HENDR
Prins van Oranje
Overleden 24 Oct. 1664.

XXXI

WILLEM III Hendrik
Koning van Engeland (23 Febr. 1689), Prins van Oranje.
Geb. 14 Nov. 1650 te 's Gravenhage.
Stadhouder van Holland, Zeeland, Gelderland, Utrecht en Overijsel; Erfkapitein-Generaal en Admiraal der Unie.
Trouwt 14 Nov. 1677 MARIA II STUART — dochter van den Hertog van York, als JACOBUS II, Koning van Engeland.
Overleden — kinderloos — 19 Maart 1702.

HENDRIK CASIMIR II
Vorst van Nassau-Dietz enz.
Geb. 18 Jan. 1657.
Erfstadhouder van Friesland, Groningen en Drente.
Trouwt 16 Nov. 1683 HENRIËTTE AMALIA — dochter van JOHAN GEORGE I, Vorst van ANHALT-DESSAU, en van HENRIËTTE CATHARINA, dochter van FREDERIK HENDRIK, Prins van Nassau en Oranje.
Overleden 15 Maart 1696.

XXXII

JOHAN WILLEM FRISO
Vorst van Nassau-Dietz, 20 Maart 1702 Prins van Oranje.
Geb. 4 Aug. 1687.
Erfstadhouder van Friesland en Groningen.
In 1702, na de dood van Willem III, erfgenaam van het Huis van Oranje.
Huwt 26 April 1709 MARIA LOUISE, dochter van KAREL, Landgraaf van HESSEN-CASSEL.
Verdrinkt 14 Juli 1711 aan de Moerdijk.

XXXIII

WILLEM IV
KAREL HENDRIK FRISO
Prins van Oranje en Nassau.
Geb. 1 Sept. 1711.
Erfstadhouder, Kapitein-Generaal en Admiraal der Verenigde Provinciën.
Hij verenigt alle landen van de Ottose tak.
Gehuwd 25 Maart 1734 met ANNA — oudste dochter van Koning GEORGE II van Engeland.
Overleden 22 Oct. 1751.

XXXIV

WILHELMINA CAROLINA
Prinses van Oranje en Nassau.
Geb. 28 Febr. 1743.
Gehuwd 5 Maart 1760 met CAREL CHRISTIAAN, Vorst van Nassau-Weilburg.
Zij sterft 6 Mei 1787.

WILLEM V Batavus
Prins van Oranje en Nassau.
Geb. 8 Maart 1748 te 's Gravenhage.
Aanvaardt 8 Maart 1766 de waardigheden van Erfstadhouder en Kapitein-Generaal der Unie.
Huwt 4 Oct. 1767 FREDERIKA SOPHIA WILHELMINA — dochter van AUGUST WILLEM, Prins van Pruisen.
Verliest in 1795 zijne Nederlandse waardigheden en bezittingen, wordt in 1802 daarvoor schadeloos gesteld door het Vorstendom Fulda, hetwelk hij onmiddellijk afstaat aan zijn zoon Willem Frederik.
Overleden 9 April 1806 te Brunswijk.

VAN ORANJE EN NASSAU.

WILLEM V Batavus

Stamreeks XXXV

ederika LOUISA Wilhelmina
inses van Oranje en Nassau.
Geb. 28 Nov. 1770.
14 Oct. 1790 KAREL GEORGE
UST, Erfprins van BRUNSWIJK-WOLFFENBUTTEL.
eden — kinderloos — 15 Oct. 1819.

WILLEM I Frederik
KONING DER VERENIGDE NEDERLANDEN,
GROOTHERTOG VAN LUXEMBURG.
Geb. 24 Aug. 1772 te 's Gravenhage.
Regerend vorst van Fulda en Corvey in 1802, van Nassau in 1806, verliest beide vorstendommen in 1806. Herneemt in 1813 bezit van de Duitse erflanden. 3 Dec. 1813 Souvereine Vorst der Verenigde Nederlanden (Noordelijke provinciën). Bestemt in 1814 de Duitse erflanden voor zijn tweeden zoon prins FREDERIK, doch ruilt ze voor het Groothertogdom Luxemburg, waarbij Dillenburg, Hadamar en Dietz aan de Walramse tak komen.
16 Maart 1815 geproclameerd als KONING DER NEDERLANDEN met toevoeging van de Zuidelijke Nederlanden en het Groothertogdom Luxemburg. Staat 19 April 1839 de Zuidelijke provinciën af aan Leopold I, Koning van van België, Prins van Coburg.
Doet 7 October 1840 afstand van de troon.
Trouwt: 1e. 1 Oct. 1791 FREDERIKA WILHELMINA LOUISE — dochter van FREDERIK WILLEM II, Koning van Pruisen; en 2e. 16 Febr. 1841 Gravin d'Oultremont de Wégimont.
Overleden 12 Dec. 1843 te Berlijn.

Willem George FREDERIK
Prins van Oranje en Nassau.
Geb. 15 Febr. 1774.
Generaal der cavallerie in Staatsen dienst; in 1798 Veldtuigmeester in Oostenrijk.
Ongehuwd.
Overleden 6 Jan. 1799 te Padua.

XXXVI

WILLEM II
Frederik George Lodewijk
NG DER NEDERLANDEN en
OTHERTOG VAN LUXEMBURG
op 7 Oct. 1840.
6 Dec. 1792 te 's-Gravenhage.
21 Febr. 1816 met ANNA PAU-
NA, Grootvorstin van Rusland —
er van Tsaar PAUL I van Rusland.
Overleden 17 Maart 1849.

Willem FREDERIK KAREL
Prins van Oranje en Nassau, sedert 1815 Prins der Nederlanden.
Geb. 28 Febr. 1797 te Berlijn.
Veldmaarschalk en Admiraal in 1831.
Huwt 21 Mei 1825 LOUISE AUGUSTA WILHELMINA AMALIA, dochter van Koning FREDERIK WILLEM III van PRUISEN.
Overleden 8 Sept. 1881.

Wilhelmina Frederika PAULINE Charlotta
Prinses van Oranje en Nassau.
Geb. 1 Maart 1800 te Berlijn.
Overleden 22 Dec. 1806 te Freyenwalde.

Wilhelmina Frederika Louisa Charlotte MARIANNE.
Prinses van Oranje en Nassau, sedert 1815 Prinses der Nederlanden.
Geb. 9 Mei 1810 te Berlijn.
Zij trouwt 14 Sept. 1830 met FREDERIK HENDRIK ALBERT, zoon van Koning FREDERIK WILLEM III van Pruisen; gescheiden 28 Maart 1849.
Overleden 29 Mei 1883.

Wilhelmina Frederika Alexandrina Anna LOUISE
Prinses der Nederlanden.
Geb. 5 Aug. 1828.
Huwt 19 Juni 1850 den Kroonprins, 8 Juli 1859 Koning KAREL XV v. Zweden en Noorwegen.
Overleden 30 Maart 1871.

Wilhelmina Frederica Anna Elisabeth MARIA.
Prinses der Nederlanden.
Geb. 5 Juli 1841.
Huwt 18 Juli 1871 WILLEM ADOLPH MAXIMILIAAN KAREL, Vorst ZU WIED.
Overleden 22 Juni 1910.

XXXVII

WILLEM III
xander Paul Frederik Lodewijk
NG DER NEDERLANDEN EN
OTHERTOG VAN LUXEMBURG.
b. 19 Febr. 1817 te Brussel.
wd: 1e. 18 Juni 1839 met SOPHIA
ika Mathilda — dochter van
DERIK WILLEM I, Koning van
WURTEMBERG;
Jan. 1879 te Arolsen met Adel-
EMMA Wilhelmina Theresia —
er van GEORGE VICTOR, Vorst
VALDECK en PIERMONT en van
IA WILHELMINA HENRIETTE
LINE MARIANNE, Prinses van
Nassau.
eden 23 Nov. 1890 op het Loo.

Willem ALEXANDER Frederik Constantijn Nicolaas Michiel
Prins der Nederlanden.
Geb. 2 Aug. 1818.
Luitenant-Generaal en inspecteur der cavalerie.
Ongehuwd.
Overleden 20 Febr. 1848 op het eiland Madeira.

Willem Frederik HENDRIK
Prins der Nederlanden.
Geb. 13 Juni 1820 te Soestdijk.
Luitenant-Admiraal en Veldmaarschalk Stedehouder van Luxemburg.
Gehuwd: 1e. 19 Mei 1853 met AMALIA Maria da Gloria Augusta — dochter van KAREL BERNHARD, Hertog van Saksen-Weimar-Eisenach; 2e. 24 Aug. 1878 te Potsdam met MARIA Elisabeth Louise Frederika — dochter van FREDERIK KAREL NICOLAAS, Prins van PRUISEN.
Overleden — kinderloos — 14 Jan. 1879, op het slot Wolferdingen in Luxemburg.

Wilhelmina Maria SOPHIA Louise
Prinses der Nederlanden.
Geb. 8 April 1824 te 's-Gravenhage.
8 Oct. 1842 aldaar gehuwd met KAREL ALEXANDER August Johan, Groothertog van SAKSEN-WEIMAR-EISENACH.
Overleden 23 Maart 1897.

XXXVIII

KAREL AUGUST
Erfgroothertog.
Geb. 31 Juli 1844.
Gehuwd 26 Aug. 1873 met PAULINE — dochter van HERMAN BERNHARD GEORGE, hertog van Saksen-Weimar-Eisenach.
Hij sterft 20 Nov. 1894.

XXXIX

WILHELMINA Helena Pauline Maria
KONINGIN DER NEDERLANDEN,
Prinses van Oranje-Nassau, Hertogin van Mecklenburg enz.
Geb. 31 Aug. 1880 te 's Gravenhage.
Koningin onder Regentschap van Hare Majesteit EMMA, Koningin-Weduwe, tot 31 Augustus 1898.
Beëdigd en ingehuldigd als Koningin der Nederlanden den 6den Sept. 1898 te Amsterdam.
Gehuwd op 7 Febr. 1901 te 's-Gravenhage met
HENDRIK Vladimir Albrecht Ernst,
Hertog van MECKLENBURG;
geb. 19 April 1876 te Schwerin.

WILLEM ERNST
Karel Alexander Frederik Hendrik Bernhard Albert George Herman
Groothertog van Saksen-Weimar-Eisenach.
Geb. 10 Juni 1876.
Doet 9 Nov. 1918 afstand van de regering.
Huwt: 2e. FEODORA, dochter van FREDERIK JAN BERNARD HERMAN HENDRIK MAURITS, hertog van SAKSEN-MEINIGEN-HILDBURGHAUSEN.
Overleden 23 April 1923.
Uit dit huwelijk
WILLEM ERNST,
geb. 28 Juli 1912.

XL

JULIANA
Louise Emma Marie Wilhelmina
Prinses der Nederlanden, Prinses van Oranje-Nassau, Hertogin van Mecklenburg, Prinses van Lippe-Biesterfeld.
Geb. 30 April 1909 te 's-Gravenhage.
Gehuwd op 7 Januari 1937 te 's-Gravenhage met
Bernhard Leopold Frederik Everhard Julius Coert Karel Godfried Pieter
Prins der Nederlanden, Prins van Lippe-Biesterfeld.
geb. 29 Juni 1911.

BEATRIX Wilhelmina Armgard
Prinses van Oranje-Nassau, Prinses van Lippe-Biesterfeld.
Geb. 31 Januari 1938.

De oudste zoon van Willem de Oude werd prins van Oranje, omdat een neef hem tot zijn opvolger had benoemd. Oranje-bloed had hij niet. De verwantschap tussen de stadhouder-koning Willem III en Karel Hendrik Friso (Willem IV) is heel gering; zij zijn neven in de elfde graad. Na de dood van koning Willem III ging men ervan uit dat met hem het huis van Oranje uitstierf. Zijn dochter zou immers na een huwelijk lid worden van een ander 'stamhuis'. Wijziging van de wetten maakte dat afstammelingen van Wilhelmina de titel Van Oranje Nassau zouden blijven voeren.

2. Kinderjaren

Op 2 augustus 1858 werd Adelheid Emma Wilhelmina Theresia, prinses van Waldeck-Pyrmont, in Arolsen geboren. Waldeck-Pyrmont was in die dagen een van de talrijke vorstendommetjes binnen het Duitse rijk. De geboorte van de derde dochter van Fürst Georg en prinses Helena van Nassau was buiten de kring van de familie beslist geen 'nieuws'. De kleine Emma zou misschien nooit in de publieke belangstelling zijn gekomen, als haar moeder niet behoorlijk eerzuchtig was geweest en, toen haar dochters volwassen werden, geen pogingen had gedaan 'goede huwelijken' voor de meisjes te arrangeren. Op zich zelf was het heel gewoon dat moeders een man voor hun dochter zochten en dat Fürstin Helena in haar pogingen nogal ambitieus was, pleit geenszins tegen haar.

Maar voor het zover was, had Emma met haar zusjes en broer een jeugd die weinig afweek van die van kinderen in een soortgelijke positie. Hoewel? Haar dochter Wilhelmina zou in *Eenzaam maar niet alleen* over de kinderjaren van haar moeder schrijven: 'Haar ouderlijk huis was bepaald verlicht te noemen. Vooral als men rekening houdt met het feit dat de kleine hoven in Duitsland toen een halve eeuw of meer ten achter waren bij de gewone maatschappij. Dit huis was zijn tijd een slag voor. Grootvader moet zeer belezen zijn geweest en grootmoeder zou zeker, met al haar gaven, op haar plaats zijn geweest te midden van een grote omgeving, zou zeker daar een taak hebben kunnen vervullen, die energie en veelzijdigheid van haar zou hebben gevraagd.'

Maar prinses Helena leefde niet in een grote omgeving en dus werd er over haar kinderen niet geschreven. Het enige inhoudelijke dat wij over Emma's kinder- en meisjesjaren weten – pas veel later zouden in Nederland byzantinistische lofprijzingen over haar jeugd worden gepubliceerd – heeft zij zelf verteld, toen zij mevrouw W. van Italie-van Embden 'op audiëntie' ontving en die het gehoorde publiceerde in de NRC van 9 januari 1929.

Naar de gewoonte van die tijd kregen Emma, haar zusjes en haar broer huisonderwijs. Emma vertelt: 'Ik zal u van onze opvoeding vertellen. Die was eenvoudig. Wij hadden jaren lang een Engelse gouvernante. Ze voelde zeer sociaal. Zij sprak met ons over arbeidsverhoudingen, sociale instellingen, het leven van de fabrieksarbeiders, toen meestal nog zeer treurig. Ze gaf niet alleen lessen; zij schiep

▲ *Een gedeelte van het prinselijk gezin waarin Emma is opgegroeid. De foto dateert uit 1877. Van links naar rechts: prinses Pauline, een hofdame, prinses Emma, vorst Georg V Victor, erfprins Friedrich, vorstin Helena, prinses Elisabeth en prinses Helena. De overige afgebeelden zijn leden van de hofhouding in Arolsen.*

ook een sfeer om ons onderwijs. Daar is een kind het meest gevoelig voor. De indrukken, die men in zijn jeugd opneemt, worden zeer waarschijnlijk later tot je richtsnoer.
Arolsen was zo'n klein stil stadje, u kunt zich dat niet voorstellen, bijna 2000 inwoners. Maar het was toch ook: de residentie. Veel bekwame ambtenaren woonden er; er was een goed ontwikkelde school, type ongeveer als hier de driejarige HBS. Wij leerden thuis misschien iets minder schoolkennis –de Duitse grammatica kwam een tikje te kort– maar onze belangstelling was levendig. Dat ontwikkelt toch ook. Wij waren met vijf zusters. De oudste kreeg tbc toen zij

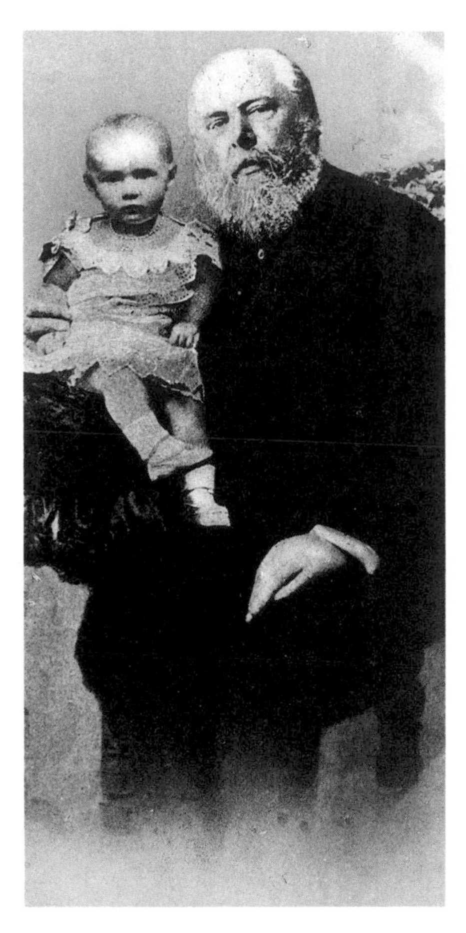

▲ *Koning Willem III, oud genoeg om Wilhelmina's grootvader te zijn, was heel erg gesteld op zijn dochtertje. In 1881 werd de hoffotograaf ontboden om een foto te maken. Het resultaat werd dan toegezonden aan geïllustreerde weekbladen en er werden briefkaarten van gemaakt die in bepaalde streken gretig aftrek vonden. Hoe de fotograaf erin slaagde een peuter zo lang stil te laten zitten als toen nog nodig was voor belichting, vermeldt de geschiedenis niet.*

▶ *De regentes en haar dochtertje in 1884; zij waren in de rouw na het overlijden van prins Alexander.*
Opvallend is dat in die tijd vrouwen zich heel zelden zonder hoofdbedekking lieten fotograferen. Men mag met zekerheid aannemen dat deze foto ten paleize is gemaakt, maar Emma droeg een 'kapothoedje' met brides en de vierjarige had een als hoed gemodelleerde muts op.

vijftien jaar was. Een tragedie, ach! De diepe indruk, die dat op mij maakte! Daaruit is mijn belangstelling ontstaan voor de lijders aan die vreselijke ziekte. En voor de middelen om haar te voorkomen.
Ik was de derde zuster naar de leeftijd. Na de vierde volgde een broer, nog een schooljongen, toen wij al volwassen waren. En dan, het jongste zusje, ons speelpopje, nog een kind toen ik trouwde. Groot voorrecht, een groot gezin. Komt u dat ook niet zo voor? Een natuurlijke hulp bij de opvoeding. Je voedt elkaar op! Je leert: toegeven, niet je wil doordrijven, achterstaan ter wille van een ander... Wij gingen niet zo heel veel met anderen om. Dat hoeft ook niet, als je zelf een grote kring vormt. Aan tafel, met de gouvernante, de gouverneur, de kinderjuffrouw, moeders twee hofdames – van wie één ons meisjes chaperonneerde, als wij uitgingen – mijn broers vriendje, dat met hem werd opgevoed, waren we toch elke dag met veertien samen. Dat brengt gezellige conversatie mee...
Vertelde ik u al, dat wij dikwijls op reis gingen? Naar het zuiden; al jong ter wille van mijn zieke zuster, na haar dood, omdat moeder het toen zelf nodig had. Naar Noorwegen ook. En altijd voorbereid op het nieuwe land door speciale lessen. In Zweden logeerden wij bij onze oom en tante; een zuster van onze moeder was getrouwd met koning Oscar.
Ons leven in Arolsen was wel zeer eenvoudig. Dat is gelukkig voor kinderen. Dunkt u ook niet? Wij leerden uitstekend handwerken, ook tekenen. Ik herinner me, toen we in Cannes logeerden, kreeg ik daar goede tekenlessen; en Franse literatuur van een Fransman. Literatuur behandelden wij à fond. Geschiedenis ook. Onze opvoeding was breed voor die tijd. Vader las veel; wetenschappelijke werken. Daaruit vertelde hij ons. Maar de praktijk van de opvoeding berustte bij onze moeder. Heel jong al hielpen we haar mee in haar liefdadigheidswerk. ...Onze moeder was hoofd van vele verenigingen, moesten er statuten gewijzigd worden, nieuwe worden gemaakt, moeder besprak dat met ons. Zij richtte een ziekenhuis op uit het erfdeel van onze gestorven zuster. Later een weeshuis. Een diaconessenhuis...
In 1874 was ik bevestigd. In 1875 de reis naar Zweden. 'Weet u hoe omslachtig het reizen vanuit Arolsen toen was? Als wij naar Pyrmont trokken, 's zomers, geen spoortrein! Zo'n uur of acht in een rijtuig... Ja, van de naaste spoorwegverbinding lag Arolsen twee uur af!' Koning Willem III, of liever zijn secretaris, zou het merken, toen hij een reis naar Pyrmont moest organiseren!

▲ *Prinses Wilhelmina, geportretteerd in 1888, vermoedelijk ter gelegenheid van haar achtste verjaardag. In die jaren liet koningin Emma kleren voor haar dochtertje uit Parijs komen. Opvallend is dat aan schoenen en kousen in die dagen weinig aandacht werd besteed. De prinses draagt zwarte knooplaarzen met zwarte kousen.*

Zo weinig als wij weten van de jonge jaren van het Duitse prinsesje, zoveel weten wij van die van haar dochtertje Wilhelmina.
Nog op de avond van 31 augustus 1880 deelde koning Willem III aan de Staten-Generaal mee: 'Het is ons een grote vreugde U de blijde boodschap te kunnen mededelen dat Hare Majesteit de Koningin, onze beminde gemalin, heden namiddag is bevallen van ene prinses. Wij zijn overtuigd, dat de Eerste en Tweede Kamer der Staten-Generaal van harte delen in de gevoelens die deze heuglijke ge-

▲ *Als jong prinsesje al is Wilhelmina eerst gaan ponyrijden en later gaan paardrijden. Zij is het heel lang blijven doen. Paardrijden was van oudsher een vorstelijke sport; bovendien kon een vorst zich te paard beter aan zijn onderdanen vertonen.*
Dit schilderij van Wilhelmina als amazone (1895) is gemaakt door Otto Eerelman.

beurtenis bij ons opwekt, en met ons dankbaar de zegen erkennen, die door de Allerhoogste aan ons Huis en het Vaderland is geschonken. En hiermede, mijne heren, beveel ik U in Gods heilige bescherming.'
Het overgrote deel van de Nederlanders was inderdaad dankbaar voor de geboorte, want het was in wijde kring bekend dat kroonprins Alexander, de laatste zoon uit het eerste huwelijk van de koning, zijn vader niet zou opvolgen als gevolg van zijn slechte psychische en lichamelijke gezondheid; een kind van Emma werd dus met intense belangstelling tegemoet gezien. Dan was het voortbestaan van het vorstenhuis verzekerd. Maar... 'het is maar een meisje,' zeiden velen en het *Leidsch Dagblad* drukte dat ook af boven een hoofdartikel. Emma had een zoon moeten krijgen! Zevenentachtig jaar later zouden verschillende kranten voorzichtig hun teleurstelling uitspreken over het feit dat kroonprinses Beatrix Willem Alexander had gebaard: een zoon!
De eerste tien levensjaren van de kleine Wilhelmina verliepen volgens de opvattingen van de jongeren van nu met een inmiddels al weer achterhaald woord: 'onmogelijk'. Maar het prinsesje werd opgevoed op de toen gangbare wijze, zij het dat zij wel een jonge moeder had, maar een vader die ruimschoots haar grootvader had kunnen zijn en die haar met grootvaderlijke liefde behandelde. Wilhelmina bleef enig kind en miste dus de nor-

▲ *In de jonge-meisjestijd van Wilhelmina was het gebruikelijk dat familieleden hoe dan ook een voorstelling gaven tijdens verjaardagsfeesten en dergelijke. Aan het hof placht nogal eens toneel te worden gespeeld, zo ook ter gelegenheid van de verjaardag van koningin Emma. Wilhelmina had een hoofdrol in het stuk dat op 2 augustus 1897 werd opgevoerd en waarvan wij niet meer weten dan de titel:* Uit liefde voor de kunst.

male wrijving die bestaat tussen broertjes en zusjes. Koningin Emma trachtte dit bezwaar enigszins op te vangen door geregeld zorgvuldig uitgezochte kinderen of kleinkinderen van leden van de hofhouding op visite te laten komen. Maar de speelgenootjes moesten het vierjarige prinsesje wel aanspreken met 'Mevrouw, u bent 'm!' bij het krijgertje spelen... Zij waren ook wel zo geïnstrueerd dat zij het niet in hun hoofd zouden halen iets van Wilhelmina af te pakken of eens lekker met haar te kibbelen.
Pas jaren later zou het prinsesje aan het keizerlijk hof in Berlijn met 'neefjes' spelen die haar niet ontzagen!
Wilhelmina was nog geen vier jaar, toen vast stond dat zij 'de vermoedelijke erfgename van de troon' was: prins Alexander overleed. Dit maakte voor koningin Emma de opvoeding niet eenvoudiger. Zij wist dat menselijkerwijs vast stond dat Wilhelmina op haar achttiende verjaardag de troon zou bestijgen en dat dan haar scholingsperiode voorbij zou zijn. Die scholing geschiedde natuurlijk met privé-onderwijs door docenten die door de koning en de koningin zorgvuldig waren uitgekozen in overleg met deskundigen. Privé-onderwijs was al een noodzaak, omdat de koninklijke familie beslist niet honkvast was. Het grootste deel van het jaar bracht zij op Het Loo door, maar voor de opening van de zitting van de Staten-Generaal moest de koning in Den Haag zijn, waar ook in de winter werd vertoefd. Dan kwam er nog de verplichte week Amsterdam, waarbij de ouders hun dochtertje meenamen, al bespaarden zij het kind het optreden in het publiek nagenoeg geheel. Op haar eerste verjaardag nam het prinsesje staande tussen haar ouders, een kinder-aubade in ontvangst op Het Loo. Maar op een heel enkel publiek optreden in 1887 na werd haar dit bespaard zolang haar vader leefde. Kuren deed de koning vaak en lang. De koningin ging dan met haar dochtertje veelal naar Duitse familie. Maar ook in die tijd moest het onderwijs doorgaan. Na 1887, toen de gezondheidstoestand van de koning optreden naar buiten nagenoeg onmogelijk maakte, woonde het gezin vrijwel alleen op Het Loo.
Het onderwijs van Wilhelmina begon spelenderwijs, zoals dat toen in de

vooraanstaande families gebruikelijk was: er kwam een Franse gouvernante die het kind automatisch Frans leerde. Wilhelmina was nog geen zes jaar toen de Franse gouvernante werd vervangen door een Engelse. Koning en koningin hadden tot de aanstelling van miss Saxton Winter besloten, omdat zij wensten dat hun kind leiding kreeg van iemand die, zoals miss Winter het zelf zou uitdrukken, 'haar karakter moest vormen en haar moest maken tot een moedige en edele vrouw, onwankelbaar en sterk'. De ervaring met de zoons uit zijn eerste huwelijk had de koning argwanend gemaakt voor elke vorm van toegeeflijkheid in de opvoeding. Uit *Eenzaam maar niet alleen* blijkt dat miss Winter haar taak naar verwachting heeft vervuld, maar ook dat haar pupil beslist geen meegaand meisje was. De twee hebben herhaaldelijk gebotst. Dat de pupil haar gouvernante toch is blijven waarderen, bewijst het feit dat Wilhelmina snel na haar komst in Londen in mei 1940 maatregelen heeft genomen om miss Winter haar pensioen te blijven uitbetalen en dat zij haar in de Londense tijd herhaaldelijk heeft bezocht.

Kort na de komst van miss Winter begon het schoolonderwijs. Dit werd aanvankelijk gegeven door de heer F. Gediking die hoofd was geweest van een Haagse school. Wilhelmina heeft zeventig jaar later verteld dat zij, net als haar onderwijzer, dol was op rekenen. Toen kan de grondslag zijn gelegd voor haar latere economische inzicht, hetgeen de eerste na-oorlogse minister van Financiën, prof. dr. P. Lieftinck, eens zou doen zeggen dat koningin Wilhelmina de beste minister van Financiën zou zijn geworden, die Nederland ooit had kunnen krijgen.

Maar zover was het kleine meisje achter haar schoollessenaar nog niet. Zij genoot wel van de lessen in vaderlandse geschiedenis, waarbij haar, zoals in die dagen gebruikelijk, verhalen werden verteld van nobele helden. De verering van die helden is haar levenslang bijgebleven, waarbij zij uiteraard de in haar jeugd geldende algemene normen hanteerde. Zo voelde zij zich toch eigenlijk een beetje vereerd, toen zij generaal J.B. van Heutsz ontving tijdens zijn bezoek aan Nederland in 1901. Van Heutsz had Atjeh 'gepacificeerd', die man had 'iets groots verricht'. De bewondering voor Paul Kruger deelde zij als heel jonge vorstin met zeer vele Nederlanders in die dagen, maar Wilhelmina zou die bewondering blijven koesteren. Kort voor haar dood gaf zij de Afrikaanse schilder Machiel Brandenburg opdracht voor een manshoog portret van de man die zij officieel had ontvangen, toen hij als president door de Engelsen uit zijn land was verdreven. Het doek kwam na haar overlijden af, het hangt nu in haar werkkamer in het museum Het Loo.

Het onderwijs op één gebied gaf koningin Emma zelf aan haar dochtertje, dat van de godsdienst. Godsdienst was een privé-zaak tussen hen beiden, zo sterk zelfs, dat de kleine Wilhelmina niet duldde dat miss Winter met haar bad. Zulke gebeden hadden voor het meisje geen geldigheid. Koningin Emma moet een heel sterk en strak omlijnd geloof hebben gehad en dat volledig op haar dochter hebben overgedragen: de bijbel was het Woord Gods, waarvan tittel noch jota ter discussie mocht worden gesteld. Deze opvatting was oorzaak van een ernstige crisis in het leven van de dertienjarige Wilhelmina, die alles-doorsnijdend leek. In *Eenzaam maar niet alleen* vertelt prinses Wilhelmina, hoe haar toen de zogenaamde proef van Plateau werd getoond over de schepping van het heelal. Dit was ontstaan door wenteling, waardoor eerst de zon was losgeraakt, die daarna ook door draaiing de aarde en de maan in hun baan had geslingerd. Die proef leek het scheppingsverhaal uit Genesis met één slag te verpletteren. En daarmee het bestaan van de trouwe God, op wie het kind zo vast had gebouwd! Zij zelf zegt er in *Eenzaam maar niet alleen* van: 'Zo groot was mijn nood geweest zonder God en zo had die vreselijke twijfel mij gemarteld, dat mijn toen genomen besluit: "dat nooit meer" zo vast stond, dat ik, op één kortstondige uitzondering na, die niet minder pijngevend was en mij diep ongelukkig maakte, in mijn verdere leven geen tijd van zogenaamde Godverlatenheid en twijfel en strijd meer heb gekend.' Het gebeurde had ook tot gevolg, dat zij, zo jong als zij was 'innerlijk de oorlog verklaarde aan dat menselijk denken, dat zulk een rampspoed over mij had kunnen brengen'.

In de tijd, waarin deze crisis haar teisterde, was Wilhelmina al een jaar of drie koningin. De dood van haar vader was de eerste werkelijk ingrijpen-

In de jaren voor de geboorte van Juliana krioelde het soms op Het Loo van verre of heel verre familieleden van koningin Wilhelmina. Al die familieleden konden aanspraak doen gelden op een eventuele opvolging van de koningin. In de grondwet stond immers dat alle, natuurlijk alleen wettige, nakomelingen van stadhouder Willem V en zijn zuster Carolina 'tot de (Nederlandse)troon gerechtigd waren' en Carolina had een groot nageslacht. De geboorte van Juliana maakte hun kans aanzienlijk kleiner en die verdween volledig door een grondwetswijziging in 1922. Daarin stond dat alleen nakomelingen van koning Willem I de Nederlandse troon konden bestijgen en dat dan nog alleen als zij in hoogstens de derde graad bloedverwant van de vorige koning waren. Aan die voorwaarden voldeed alleen Juliana.
Toen Beatrix de troon besteeg, was uiteraard haar oudste zoon de vermoedelijke opvolger van de troon, gevolgd door zijn broers. Maar zij waren niet de enigen. Als bloedverwant in de tweede graad (dochters van dezelfde ouders) kon ook Margriet aanspraken doen gelden. Haar zoons zijn in de derde graad verwant met de regerende koningin, maar zij verliezen hun rechten op het ogenblik waarop Willem Alexander de troon bestijgt, want dan zijn zij bloedverwanten in de vierde graad. Ook nu zijn hun rechten wat de troon betreft vrijwel theoretisch. Ze bestaan alleen als alle drie zoons van Beatrix eerder overlijden dan hun moeder, zonder één kind na te laten.

◀ In 1895 brachten Emma en Wilhelmina een studiebezoek aan Londen, maar allengs kreeg het bezoek een meer officieel tintje: de beide koninginnen werden ontvangen door koningin Victoria. In die dagen werden vorstelijke personen alleen gefotografeerd als dat hun behaagde. Tijdens het bezoek aan Windsor was er geen fotograaf aanwezig. Maar de geïllustreerde weekbladen in Europa wilden toch wel graag een foto hebben van de twee vorstinnen. Geen nood: een Haagse fotograaf bemachtigde foto's van Victoria en Wilhelmina en monteerde die tot een 'bijna echte' foto die in heel Europa werd gepubliceerd.

de gebeurtenis in haar leven geweest. In het najaar van 1890 was de koning zo ziek dat zijn dochtertje niet meer bij hem mocht komen. In de nacht van zijn overlijden ervoer het kind dat er iets ergs met haar vader gebeurde. Toen haar moeder haar kwam vertellen dat hij overleden was, wist zij dat eigenlijk al. Het kind raakte volkomen overstuur van alle volgende besognes en het gedoe met rouw-crêpe, klokgebeier en wat er verder aan te pas kwam, voordat de begrafenis plaatsvond, die natuurlijk niet door de vrouwen werd bijgewoond.

De tienjarige wist, dat zij door dit overlijden automatisch koningin was geworden. Zij wilde weten wat dit voor haar betekende. Koningin Emma legde het haar omstandig uit. Blijkbaar was Wilhelmina niet meteen enthousiast. Volgens een oud verhaal moet zij, kort voor haar poppen door haar moeder voorgoed werden opgeborgen, tegen één ervan gezegd hebben: 'Pas op, als je nog eens stout bent, maak ik je koningin, dan kun je nooit meer met iemand spelen.' Of het waar is weet niemand meer, maar het zou waar kunnen zijn. Want voor spelen was er inderdaad weinig tijd meer, ook na de rouwperiode.

Het onderwijs kreeg nu helemaal de vorm van 'spoedcursussen'. Binnen het tijdsbestek van de middelbare school, moest ook universitair onderwijs worden ingepast. Op haar achttiende verjaardag zou de koningin 'volleerd' moeten zijn. Dit werd mogelijk gemaakt door de zorgvuldige keuze van docenten, het volledig individuele onderwijs en niet in het minst door het intellect van de leerlinge.

Het directe onderwijs mocht niet in de verdrukking komen, ondanks het feit dat koningin Emma het noodzakelijk vond haar dochter in het publiek te laten optreden. Van koning Willem III kan gezegd worden dat hij niet zozeer impopulair was geworden, als dat men hem vergeten was. Hij had zich in de tweede helft van zijn regering min of meer teruggetrokken; door ziekte had hij zich na 1887 helemaal niet meer in het publiek vertoond. Volgens Emma moest aan die vergetelheid snel een einde komen en dus begon zij met haar dochtertje, na

▲ *Als prentbriefkaart in de handel gebracht.*

een voor die dagen korte rouwtijd, bezoeken te brengen aan alle delen van het land. Het eerste bezoek gold natuurlijk Amsterdam; op 27 mei 1891 komen de beide vorstinnen daar aan en de volgende dag vervult Wilhelmina haar eerste officiële daad. Met veel toespraken en vertoon legt zij de eerste steen voor het nieuwe buitengasthuis, het Wilhelmina Gasthuis. Burgemeester Van Tienhoven leest een oorkonde voor 'opgemaakt voor deze eerste plechtige openbare handeling van koningin Wilhelmina, welke gewijd is aan een werk van barmhartigheid.' Alle provincies zouden op Amsterdam volgen.

Bovendien nodigde de koningin-regentes heel vaak gasten uit voor het diner, waaraan Wilhelmina dan ook deelnam.

Koningin Emma had mensenkennis genoeg om te weten, dat de verschijning van zo'n jong koninginnetje en haar aanwezigheid vertederend zouden werken. De moeder zorgde er ook voor dat haar dochter er zo goed mogelijk uitzag. De kleren voor Wilhelmina kwamen in die tijd van Parijse couturiers. Toen de koningin in de zomer van 1945 voor het eerst naar Amsterdam kwam, droeg zij een mantel die zij zeven jaar tevoren ook had aangehad: de Nederlanders moesten oude kleren dragen, zij zou het óók doen.

Emma nam haar dochter niet alleen mee naar alle delen van het eigen land; zij ging ook met haar naar het buitenland. Familiebezoeken aan Duitsland waren er altijd al gebracht, maar in 1895 begonnen studiebezoeken, soms gepaard met een vakantie, aan 'vreemde landen'. Het eerst was Engeland aan de beurt. Officieel was het een particulier bezoek, maar koningin Victoria stelde hofrijtuigen ter beschikking van haar jongste collega, hetgeen beslist niet onopgemerkt bleef. Emma en Wilhelmina maakten ook hun opwachting bij de Britse koningin en bij de prins van Wales. Er bestaat een verhaal dat Wilhelmina graag een ontvangst door koningin Victoria had willen meemaken, maar dat dit protocollair onmogelijk was. Wilhelmina zou de ontvangst alleen hebben mogen gadeslaan uit een aangrenzend vertrek. Feit is dat koningin Victoria over haar kennismaking met Wilhelmina in haar dagboek heeft geschreven: 'De jonge koningin, die in augustus vijftien jaar wordt, heeft nog hangend haar. Zij is zeer slank en gracieus, heeft een knap gezichtje en maakt de indruk van een zeer intelligent, allerliefst kind. Zij spreekt buitengewoon goed Engels en weet zich zeer innemend te gedragen.'

▲ *Een voor die dagen zeer ongedwongen foto van de peuter Juliana, die natuurlijk tóch een hoed op heeft en een pop in de arm. Zo wilde men in die dagen het prinsesje graag zien.*

Na Londen volgden voor Wilhelmina Wenen, Parijs, Zuid-Frankrijk en Florence. Als zij in de Italiaanse stad zijn, breken er in verschillende Italiaanse steden broodoproeren uit, ook in Florence. Het is een avontuur voor de zeventienjarige. Het gezelschap moet ijlings voor de woedende menigte vluchten in een palazzo en heimelijk via de achterdeur de weg terug zoeken naar het hotel. Wilhelmina is zwaar teleurgesteld als zij 's avonds

▲ *Wij zouden haar er niet in hebben herkend, als er niet heel duidelijk bij had gestaan dat deze pop de Nederlandse kroonprinses voorstelde. Zij moet omstreeks 1912 in Duitsland zijn gemaakt.*

▲ *De foto's die kort na de geboorte van Juliana voor publicatie werden vrijgegeven, werden ijverig gebruikt voor commerciële doeleinden. Zo verscheen er een ansichtkaart waarop de foto 'Moedervreugde' van de koningin met haar dochtertje verwerkt werd in een vlag. Het is niet onwaarschijnlijk dat veel van deze ansichten door Hagenaars naar familie en kennissen op het platteland werden gestuurd.*

geen kijkje mag nemen in de stad. Vanwege de oproeren gaat het koninklijk gezelschap via een grote omweg naar Zwitserland om daar een paar weken rust te nemen.

Het was toen ruim een jaar geleden dat de zestienjarige Wilhelmina belijdenis van haar geloof had gedaan en was bevestigd als lidmate van de Nederlands Hervormde Kerk. Uit vrees voor een te grote toeloop als dit in een kerkdienst zou gebeuren, geschiedde het ten paleize met veel decorum. Weer bleek, dat Wilhelmina uiterst gevoelig was voor het eigene van hetgeen met God en geloof had te maken; zij vond zoveel decorum in strijd met het afleggen van een plechtige belofte voor God. In *Eenzaam maar niet alleen*, dat in wezen een poging is om te getuigen van de betekenis van Christus in haar leven, laat zij duidelijk uitkomen dat kennismaking met de theologie over Christus op haar steeds een averechtse uitwerking had op haar begrijpen en kennen van Christus. Een actief kerklid is de koningin nooit geweest. Voor haar was de kerk als instituut niet belangrijk, al woonde zij wel trouw diensten bij en hield die voor haar personeel.

In de zomer van 1898 is het druk op Soestdijk, waar de koninginnen verblijven: inhuldiging wordt voorbereid. Kort voor haar verjaardag gaat Wilhelmina met haar moeder naar Den Haag. Zij is al in groot gala gekleed voor het verjaarsdiner, als zij haar eerste stukken als regerend vorstin tekent: de benoeming van haar moeder tot draagster van het Grootkruis van de Orde van de Nederlandse Leeuw en van de Orde van Oranje-Nassau. Met die handtekeningen zet zij ook een punt achter haar jeugd.

'Over de eerste levensjaren van Juliana valt niet veel te vertellen, dat de lezer belangstelling kan inboezemen,' schrijft Wilhelmina.

Begin augustus 1945 kwamen Juliana's dochtertjes in Nederland. Kort daarna zou blijken, wat juist die eerste jaren Juliana hadden aangedaan. Via de radio smeekte zij het Nederlandse volk haar kinderen niet te overweldigen door belangstelling en liefde, want 'ik herinner me hoe machteloos je je voelt als kind, wanneer er een groep of menigte mensen naar je staat te kijken.' Pas ter wille van haar kinderen onthulde zij, wat zij had moeten doorstaan.

Aan haar eerste kennismaking met de Amsterdammers zal zij geen herinnering hebben. Zij was amper een jaar, toen zij naar het balkon van het paleis op de Dam werd gedragen.

▲ *Als driejarige moest Juliaantje met haar ouders mee toen zij een bezoek brachten aan het pantserschip* Jacob van Heemskerck. *Aan het feit dat het kind het afschuwelijk zou vinden om aan zoveel marinemensen te worden 'getoond', dacht men in die dagen niet.*

Maar hoe zat het met de rijtoeren die zij met haar verzorgsters door Den Haag placht te maken vanaf het ogenblik waarop zij op de schoot van een van haar verzorgsters kon zitten en al heel snel moest gaan wuiven met haar handje? Wat heeft de peuter gevoeld, toen zij, nauwelijks drie jaar oud, met haar ouders op 4 mei 1912 het pantserschip *Jacob van Heemskerck* 'bezocht' en daar gefotografeerd werd te midden van een overweldigend aantal mannen in uniform?

Juliana is pas zes jaar, als haar moeder haar meeneemt naar de overstroomde gebieden langs de Zuiderzee boven Amsterdam. Maar dan beseft de koningin toch na één dag, dat dit te veel is voor het kind.
Als wij de echte kinderjaren van Juliana vergelijken met die van haar moeder, dan heeft Juliana veel eerder de last ervaren van het troonopvolgsterschap. Opgroeien in de beslotenheid van Het Loo was voor haar niet weggelegd door het uitbreken van de Eerste Wereldoorlog. De koningin achtte het haar plicht – communicatie en verkeer waren nog lang niet wat zij nu zijn – te allen tijde voor haar ministers bereikbaar te zijn en dus kwam zij in de eerste dagen van augustus 1914 naar Den Haag en bleef daar tot na de grootscheepse hulde op 18 november 1918 op het Malieveld.
Wat koningin Wilhelmina bewogen heeft haar kind zo sterk in de publiciteit te brengen, is nooit duidelijk geworden. Misschien is het gewoon moedertrots geweest, gepaard met het besef dat haar volk na acht jaar eindelijk een troonopvolgster had. Aan psychologische gevolgen dachten toen nog maar weinigen.

Dat de koningin niet star aan de traditie wilde vasthouden, bleek uit het feit dat zij voor haar dochtertje een schooltje oprichtte, toen het kind leerplichtig werd. Voordat zij daartoe overging, had zij de meest vooruitstrevende pedagoog van Nederland in die dagen, Jan Ligthart, geraadpleegd en diens school bezocht. Ligthart zelf wilde het niet doen, maar hij maakte het plan voor een klasje en stelde een van zijn onderwijzeressen beschikbaar. Het schooltje werd wel uiterst klein: er was één klas met vier leerlingen – Juliana, Elisabeth van Hardenbroeck, Elise Bentinck en Miek de Jonge –, maar het was voor Juliana toch niet helemaal privaatles; vooral op Huis ten Bosch, waar de koningin al snel haar intrek nam, bestond volop gelegenheid voor buitenactiviteiten die toen voor schoolkinderen ongebruikelijk waren. De kin-

◀ *Veertig jaar na haar bezoek aan de* Van Heemskerck *was Juliana te gast op een kruiser; nu moest zij de* De Ruyter *in gebruik stellen. Dol op foto's als deze was zij ook toen niet, maar zij had intussen geleerd dat het tot haar functie behoorde.*

deren hadden eigen tuintjes en dieren, maakten tochten in een roeiboot. In een klasje met vier leerlingen kon het lagere-schoolprogramma in vier jaar wel worden afgewerkt. Het schooltje werd dan ook opgeheven toen het viertal tien jaar was. De koningin had dit gewild, want zij ging ervan uit dat Juliana, evenals zij dat zelf geweest was, op haar achttiende jaar in staat moest zijn regerend vorstin te worden. Dat kon alleen, als zij aangepaste privaatlessen kreeg. De koningin besteedde grote zorg aan de keuze van docenten voor haar dochter. In de volgende jaren werd duidelijk dat Juliana's belangstelling vooral de alfa- en gammavakken gold (al heetten de laatste toen nog niet zo). Had haar moeder zich bijna van kind af aan bezig gehouden met de protestantse vorm van het christelijk geloof, Juliana interesseerde zich al heel jong voor zeer vele vormen van God-beleven. Als kind van een jaar of twaalf wist zij al meer van de islam dan de overgrote meerderheid van de volwassen Nederlanders. Het is niet onwaarschijnlijk, dat zij deze belangstelling te danken had aan haar vader, die als jonge man een lange reis door Zuid-Oost Azië had gemaakt en die zijn christelijk geloof met oosterse mystiek had verdiept. De bêta-vakken lagen Juliana niet; haar gehele leven door heeft zij beleefde aandacht getoond voor de techniek, als zij een onderneming of bedrijf van dat soort bezocht en natuurlijk uitvoerig uitleg kreeg, maar echt geïnteresseerd erin heeft zij zich zelden getoond.
Ook al weer naar de traditie van de

▲ *In de kinderjaren van Juliana plachten welgestelde families de vakanties vaak in een badplaats aan de Noordzee door te brengen, want daar kregen de kinderen frisse lucht en konden zij spelen zonder zich vuil te maken, want het strand was schoon. Het buiten De Ruigenhoek, bij Wassenaar, waar de koningin in de jaren van de Eerste Wereldoorlog in de zomer placht te wonen, maakte het mogelijk dat zij en Juliana een stuk strand voor zichzelf hadden. Anderen verbleven in Scheveningen of Katwijk.*

tijd werd het prinsesje al jong betrokken bij wat later door kritische jongeren 'goede doelen' zouden worden genoemd, waarvoor artikelen werden gemaakt die verkocht werden ten bate van liefdadigheidsorganisaties. Koningin Emma zal stellig Juliana's betrokkenheid bij maatschappelijk werk hebben aangemoedigd.

Bij de opvoeding van een jong meisje hoorde dat zij zich ontwikkelde op cultureel gebied. Juliana kreeg vioollessen. In de ogen van haar volstrekt amuzikale moeder was zij zeer muzikaal, maar tot echte muziek heeft zij het nooit gebracht. Het aantrekkelijke van een zangklasje onder leiding van de toen zeer bekende Catharina van Rennes was in hoofdzaak, dat Juliana daar in aanraking bleef met andere meisjes. De koningin, die zelf schilderde, liet haar dochter ook schilderlessen geven, maar die werden voor Juliana al snel lessen in kunstgeschiedenis, welke zij zo waardeerde dat ze tot eind 1936 zijn voortgezet.

Eén vorm van kunst heeft Juliana haar leven lang met overgave beoefend: het toneelspel. Van jongs af aan heeft zij op het amateurtoneel gestaan. Zij heeft stukken geschreven en zelf geregisseerd. Het verstaan van deze kunst kwam haar prima van pas in vele openbare functies. Niet met al haar al dan niet officiële bezoekers zal zij een echt contact hebben kunnen maken, niet alle geschenken die haar werden aangeboden, zal zij hebben geapprecieerd, maar zij nam elk jaar opnieuw bij het verjaars-defilé streekgeschenken aan met een en-

▶ *Bezoeken aan de marine hebben haar leven lang tot de taak van Juliana behoord; zij ging als kleuter naar de* Van Heemskerck*; zij bezocht schepen, toen zij volwassen was en zelfs nog in de laatste jaren van haar koningschap. In 1976 was zij opnieuw te gast op de* De Ruyter.

▲ *Op Het Loo had prinses Wilhelmina al leren schaatsen. Koning Willem III had aanvankelijk bezwaar: een meisje, en dan nog wel een prinses, beoefende die sport niet! Wilhelmina zou het vrijwel haar leven lang blijven doen.*
In Den Haag mocht zij, inmiddels koningin geworden, ook schaatsen, maar alleen op een voor haar gereserveerde baan waarop geen ander werd toegelaten, behalve natuurlijk hofdames en hun begeleiders.

thousiasme dat op de gevers als echt gemeend overkwam.
Net als haar moeder moest zij op tienjarige leeftijd haar eerste officiële daad verrichten: op 20 februari 1920 legde zij de eerste steen voor het eerste jaarbeursgebouw in Utrecht. Net als haar moeder ging zij in de jaren daarna naar de verschillende provincies. Haar eerste zelfstandige optreden was dat na de stormramp van Borculo op 10 augustus 1925.
Op 30 april 1927 is er een diner ter gelegenheid van de 18de verjaardag van Juliana, maar zij hoeft die dag nog geen regeringsstukken te tekenen. Dit karwei wordt haar nog zo'n 21 jaar bespaard, al maakt zij na haar achttiende verjaardag wel alle officiële functies van de koningin mee.
De geboorte van Beatrix op 31 januari 1938, naar wordt gezegd om 9.47 uur, wordt natuurlijk op de gebruikelijke wijze via de Staatscourant, mededelingen aan het parlement enz. bekend gemaakt, maar dan is het voor niemand nog 'nieuws'; de secretaris van de prinses heeft al veel eerder een telefoontje gegeven naar het Baarnse Badhotel, waar binnen- en buitenlandse pers sinds weken wacht en om zeven uur is het via de radio omgeroepen. Maar niemand kan op dat ogenblik exact vermoeden hoe de-

▲ *Net als haar moeder mocht Juliana al vroeg schaatsen. Voor haar was er geen gereserveerde baan, zij mocht naar de Haagse IJsclub. Die was niet helemaal openbaar, want in die tijd moest je lid zijn van een ijsclub en daarvoor contributie betalen. Juliana heeft, zoals vrijwel iedereen in die tijd, schaatsen geleerd op Friese doorlopers.*

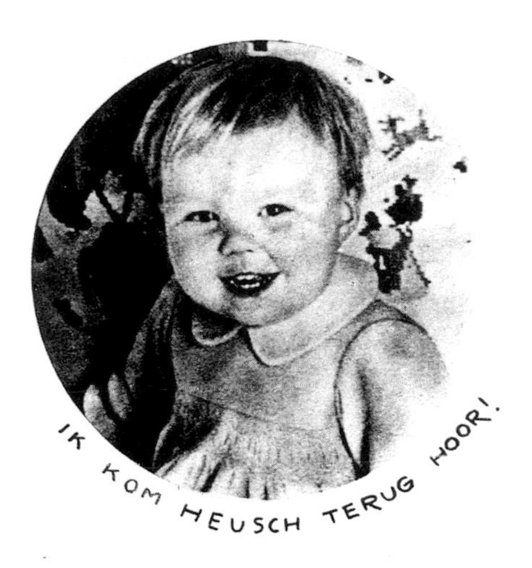

▲ *Tijdens de bezetting wierp de Royal Air Force zo nu en dan foto's uit van de prinsesjes. Die werden meestal – uiteraard illegaal – nagedrukt door fotografen in Nederland en dan op grote schaal verspreid. Een enkele maal maakte zo'n fotograaf ze nog aantrekkelijker, zoals deze van Beatrix waaraan hij een tekst heeft toegevoegd.*

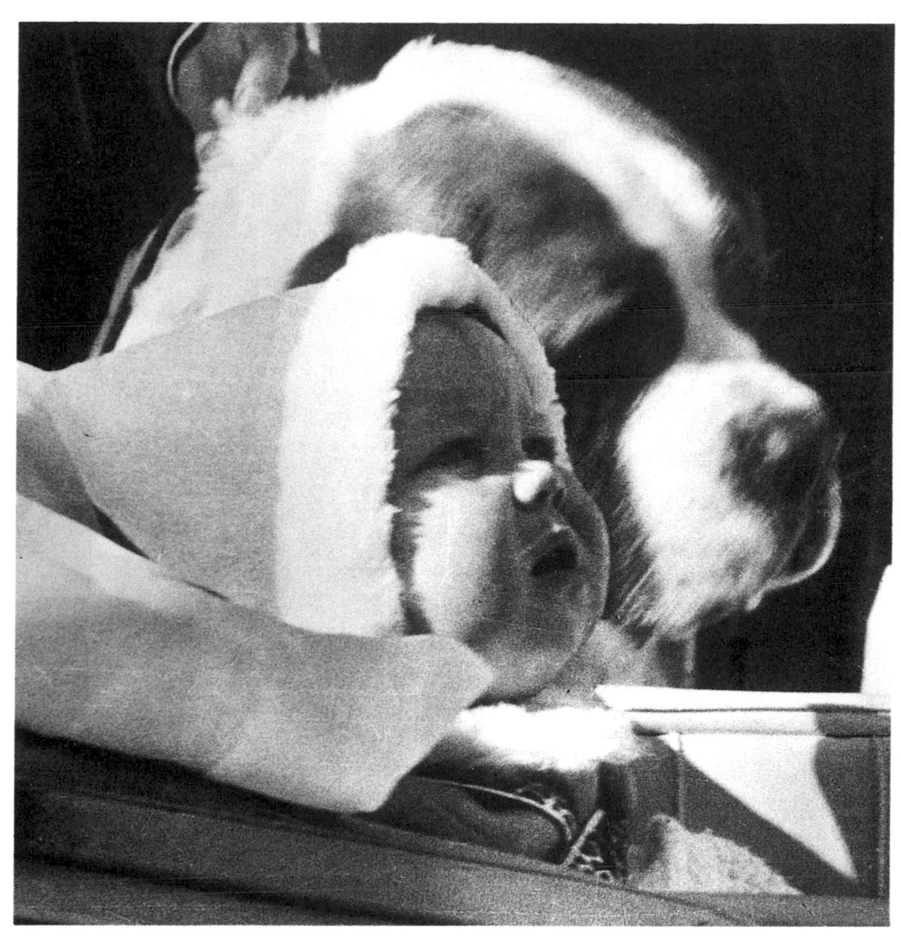

▲ *Ook in de winter van 1938-1939 houdt het koninklijk gezin wintervakantie. Skiën doet Juliana in die dagen in Grindelwald niet, want zij is weer in verwachting. Beatrix wordt goede vriendjes met de St Bernardhond van de hoteleigenaar.*

ze informele bekendmaking een zeer passende verwijzing zou blijken naar het feit dat Juliana's oudste dochter vrijwel van meet af aan buiten de gouden kooi zou blijven, waartegen haar grootmoeder al zoveel bezwaren had gehad.

Beatrix heeft 'a great blessing in a very black disguise' gekregen, toen Juliana met haar twee dochtertjes moest uitwijken naar Canada. Het oudste kind van het prinselijk paar was nog geen twee jaar en vier maanden, toen zij Nederland op 12 mei 1940 verliet. Prinses Juliana had haar kinderen 'binnenshuis' gehouden; geconfronteerd met 'haar volk' was het prinsesje beslist niet. Van haar plaats in de samenleving zal zij zich toen nog niet bewust zijn geweest. In Ottawa, waar prinses Juliana zich vestigde, was zij een kind als de anderen. De Canadese kinderen zagen haar als één der hunnen en de sfeer in het huis van Juliana – beslist geen paleis, maar ook geen krot – verschilde nauwelijks van die in menig Canadees ontwikkeld gezin. De kinderen – mevrouw Röell was met haar dochtertje Renée, leeftijdgenote van Beatrix, meegegaan – werden tweetalig opgevoed, maar dit geschiedde in meer Canadese gezinnen, zij het dat het daar om Engels en Frans ging en in Juliana's huis om Engels en Nederlands. De zeelieden en andere Nederlanders die door Juliana werden ontvangen, hebben ook geen diepe buigingen voor de prinsesjes gemaakt of hen met koninklijke hoogheid aangesproken. Dit had Juliana trouwens al voor haar vertrek gelast: alle leden van het personeel zouden de kinderen bij de voornaam noemen en hen met 'jij' aanspreken.

Heel langzaam moet vooral Beatrix zijn gaan begrijpen dat zij na terugkeer in Nederland niet helemaal een kind zou zijn als tienduizenden andere. Juliana zal de kinderen niet ampel hebben verteld dat foto's van hen boven Nederland werden gedropt en bij tienduizenden werden verspreid en gekoesterd. Hun moeder zal evenmin uitvoerig hebben uitgelegd, waarom Beatrix en Irene wél en Renée níet iets moesten zeggen tegen de kinderen van Nederland, dat door de radio naar Nederland zou worden uitgezonden. Uit de gesprekken thuis, niet uit die op school – want voor veel Canadese kinderen was de oorlog ver weg – is hun ook duidelijk geworden

▲ *Delfts blauw bord, uitgegeven ter gelegenheid van de geboorte van Beatrix in 1938.*

▲ *Koningin Beatrix is haar leven lang een enthousiast paardrijdster geweest, maar als peuter heeft zij het toch niet geleerd! Toen had zij, zoals veel peuters in die dagen, een hobbelpaard met onbeweeglijke poten.*

dat er in Nederland iets heel ergs gebeurde. Kinderen van een jaar of vijf beleven verdriet dat heel anders is dan dat over een geschaafde knie, als zij na maanden van onzekerheid horen dat de vader van een van hen dood is. En dat gebeurde toen mevrouw Röell het bericht ontving dat haar man door de nazi's geëxecuteerd was. Deze terechtstelling bracht de realiteit van de oorlog in hun eigen huis. Daarbij vergeleken is het bekende verhaal, dat de meisjes hun kamer ontruimden toen de volwassenen erover spraken dat de Nederlanders in de hongerwinter al hun huisraad verkochten voor een paar kilo tarwe of het verstookten, weinig meer dan een anekdote.

Zoals het ook een legende is dat Juliana vijf jaar lang alleen moeder en huisvrouw is geweest, die dan ook nog wel werkte voor het lokale Rode Kruis. Juliana heeft in die jaren heel veel gereisd, de kinderen werden vaak toevertrouwd aan mevrouw Röell en freule Feith. Dit betekent natuurlijk niet dat Juliana haar taak als moeder in die dagen niet belangrijk vond.

Voor Beatrix en haar zusjes betekende de landing van het vliegtuig waarmee hun moeder hen had opgehaald op 2 augustus 1945 op Teuge een cesuur. Op dat moment kon de zevenjarige nog zeggen in een microfoon, die haar werd voorgehouden: 'Ik houd niet van die dagen', maar zoveel spontaniteit zou haar niet lang worden gegund.

Koningin Wilhelmina had voor het onderwijs aan haar dochtertje overleg gepleegd met de toen meest vooruitstrevende pedagoog; Juliana deed hetzelfde. Heel kort na de terugkeer in Nederland werden Trix en Irene 'werkers' op de Werkplaats van Kees Boeke in Bilthoven. De naam van Boekes 'school' gaf al aan, dat deze quaker van mening was dat scholing meer moest zijn dan het theoretisch verwerven van kennis. Volgens de tekst van een zeer oude wet moest het onderwijs 'opleiden tot alle christelijke en maatschappelijke deugden'. De inhoud die Boeke aan deze omschrijving gaf, verschilde echter wel van die van de opstellers van de wet. Boeke zou het ons niet euvel geduid hebben, als wij nu schrijven dat hij zijn

▲ *Het beoefenen van paardesport hoort tot de traditionele bezigheden van leden van koninklijke families. Ook Beatrix heeft het al vroeg geleerd. In tegenstelling tot haar moeder is zij het blijven doen. Als kind had Juliana het ook geleerd, maar al in haar studententijd is zij ermee opgehouden. Op een vraag waarom, luidde het antwoord: 'Ach, ik houd er niet zo van je wil aan een dier op te leggen.'*

'Net als veel jonge mensen vindt Beatrix dat haar opvoeding totaal verkeerd was, maar, en dat hoor je minder, ze is er haar vader dankbaar voor dat hij haar problemen op tijd heeft onderkend en opgelost. De oorspronkelijke fout lag bij haar moeder, die houdt van dweperige ideeën en één ervan was moderne opvoeding volgens het Montessori-model. Dat ging helemaal fout. Niemand werkte... Dit is een jongedame met pit, zoals de Nederlanders zullen merken als zij de kans krijgt te laten zien wie ze is.'
(Dean Acheson, ooit minister van Buitenlandse Zaken van de Verenigde Staten, tijdens een Bilderbergconferentie in 1962, waarbij hij Beatrix als tafeldame had)

werkers een zeer sociale levensinstelling wilde bijbrengen, geworteld in de Bergrede. Bovendien vond hij kunst voor het leven even belangrijk als exacte vakken. Muziek, beeldende en uitvoerende kunst kregen veel aandacht. De grondslag voor de beoefening van de beeldhouwkunst, die een belangrijke plaats in het leven van Beatrix zou gaan innemen, is op de Werkplaats gelegd.
Door dit alles kregen de traditionele schoolvakken niet steeds de aandacht, die ze zeker voor een toekomstige koningin moesten hebben. Na zo'n jaar of vijf verwisselden Trix en Irene dan ook de Werkplaats voor wat later het Incrementum zou gaan heten, een dependance van het Baarns Lyceum, die door koningin Juliana in overleg met de leiding van die school was opgezet. Medeleerlingen van de prinsessen werden enkele vriendinnen en daartoe uitgenodigde leerlingen van het lyceum. De conrectrix van het Baarns Lyceum, dr. S. Ramondt, kreeg de leiding van het Incrementum. Zij heeft voor Beatrix in die jaren veel betekend. De school groeide met de leerlingen tot ze zes klassen telde, maar ze bleef klein en er was gelegenheid voor veel excursies en andere buitenschoolse activiteiten. In die jaren heeft Beatrix op

◀ *Koningin Wilhelmina wilde dat haar dochter haar schoolopleiding zou krijgen samen met anderen. Er werd een 'paleisschooltje' gesticht dat één onderwijzeres had en vier leerlingen. De onderwijzeres was A. v.d. Heijden-Van der Hooft; de leerlingen v.l.n.r. Elisabeth van Hardenbroeck, Elise Bentinck, Miek de Jonge en Juliana. Na vier jaar was de lagere-schoolopleiding voltooid en kreeg Juliana verder privaatlessen, zoals haar moeder die had gehad.*

◀ *Kort na hun terugkeer in Nederland moesten Beatrix en Irene naar school. Zoals koningin Wilhelmina voor het onderwijs aan Juliana de in die dagen bekende pedagoog Jan Ligthart had geraadpleegd, koos Juliana voor haar kinderen de Werkplaats van Kees Boeke, waar de zelfwerkzaamheid van de kinderen werd aangemoedigd en waar veel aandacht werd besteed aan cultuur. Beatrix heeft op de Werkplaats haar liefde voor het beeldhouwen ontwikkeld. De kinderen moesten ook huishoudelijk werk verrichten. Omdat de meeste 'werkers' nogal ver af woonden, brachten ze hun brood mee, dat tussen de middag werd opgegeten.*

Het verhaal gaat dat Beatrix een keer langer moest blijven dan Irene, die door een auto was opgehaald. Beatrix zou toen gelift hebben. Aangekomen op de kruising van de Soestdijker- en de Baarnse Straatweg verzocht zij de chauffeur te stoppen. Die keek vreemd op, want daar stonden toen geen woonhuizen. Beatrix zou geantwoord hebben: 'O, maar mijn moeder werkt in het paleis.'
Het is maar een verhaal, want het is ondenkbaar dat er geen rechercheur bij Trix zou zijn achtergebleven en dat er geen auto zou zijn gekomen om haar op te halen.

een veel ongedwongener manier dan haar moeder en grootmoeder behoorlijk wat van Nederland leren kennen. Zij werd voorzitter van de schoolbond, die geregeld sociale en culturele evenementen organiseerde.
Het programma van het Incrementum omvatte alles wat de leerlingen in staat stelde een normaal eindexamen te doen: gymnasium, HBS of MMS. Voor Beatrix betekende dit, dat zij op 2 juli 1956 haar einddiploma gymnasium A in ontvangst mocht nemen. Haar grootmoeder had de regering moeten aanvaarden op haar achttiende verjaardag; haar moeder had zich nog dertien jaar in eigen land kunnen voorbereiden op het koningschap en vijf jaar op het westelijk halfrond. Aan Beatrix werd een periode gegund van bijna een kwart eeuw.

3. Tot de troonsbestijging

▲ *Na haar verloving werd Emma van Waldeck-Pyrmont een VIP, zo zouden wij nu zeggen. Er moesten foto's van haar komen. Hier is zij afgebeeld in een hofrijtuig met zusters en hofdames. Het is niet waarschijnlijk dat zij altijd met vier paarden uitreed.*

Oud-minister van Onderwijs, Kunsten en Wetenschappen dr. J.Th. de Visser schreef in 1929 in het *Gedenkboek* dat verscheen ter gelegenheid van het feit dat koningin Emma vijftig jaar tevoren naar Nederland kwam: 'In 1878 was er geen enkel lichtpunt, het eind van het door de Nederlanders zo zeer beminde en voor dit volk zo onmisbare stamhuis was daar. Toen heeft de prinses van Waldeck dat Huis en daarmee de dynastie der Oranjes voor de ondergang behoed. In dat licht vooral moet haar persoon, haar leven worden gezien.' Het was een nuchtere constatering: koning Willem III moest na de dood van koningin Sophie in 1877 hertrouwen en een kind verwekken, wilde de dynastie voortbestaan. Er leefden nog wel twee zoons uit zijn eerste huwelijk, maar de prins van Oranje was ongetrouwd en had het vaderland volledig de rug toegekeerd; hij zou in 1879 sterven. De tweede zoon Alexander overleed vijf jaar later.

Zo zakelijk als dr. De Visser later zou doen, keek men zeker in Waldeck-Pyrmont niet tegen het huwelijk aan. Daar had de fantasie vrij spel. De Waldecker 'hofdichter' leefde zich na de huwelijksdag uit in de *Waldecker Anzeiger*, het nieuwsblad van het vorstendom. Het was de man kennelijk niet duidelijk dat Willem III zelf naar Pyrmont was gereisd om te zien of hij daar een voor de Nederlanders aanvaardbare bruid kon vinden. Op 14 januari 1879, zeven dagen na de huwelijksvoltrekking, lezen wij in de *Anzeiger* het begin van een gedicht dat in zes nummers werd voortgezet: 'Een koning aan de verre kust der zee zit eenzaam op de troon/Hij heeft geen liefste meer/Hem was slechts 't leed gebleven.' Maar dan zweeft in 's konings droom een engel voor hem heen, de allerlieflijkste gestalte, die hem verlossing komt brengen. Bij alle breedvoerigheid weet de koning direct naar welk hof hij een page met een brief moet sturen. Die page rijdt zonder stoppen naar Waldeck-Pyrmont. De dan al teerbeminde wil zijn hand aanvaarden, waarop de page in één ruk terugrijdt; de bruiloft wordt gevierd. De dichter eindigt met de wens: 'Zo ga dan naar het vreemde land/De koning aan uw zijde/En leg daar men'ge band/Van vrede, niet van strijden.'

De werkelijkheid was iets eenvoudiger: in de late zomer van 1878 kwam de koning, na het ontvangen van de nodige tips, naar Waldeck-Pyrmont; hij maakte kennis met de twee huwbare dochters van de vorst. Hij koos de twintigjarige Emma, die hem het ja-woord gaf, ondanks het feit dat hij zoveel ouder was. Wij mogen aannemen dat Emma niet op de hoogte was van de vele buitenechtelijke relaties van haar verloofde; dergelijke zaken

◀ *Na hun verloving op 29 september 1878 gingen Willem en Emma in Arolsen naar hoffotograaf Th. Molsberger. Behalve de foto kwam ook een daarnaar gemaakte gravure van Smeeton Tilly in omloop. In die tijd waren gravures nog eenvoudiger te reproduceren dan foto's.*

▲ *Bij het huwelijk van Willem III en Emma verschenen er natuurlijk, zowel in Waldeck-Pyrmont als in Nederland, gedenkpenningen. Ook nog veel later bleef men in Arolsen zulke penningen uitgeven, waarbij Wilhelmina later de plaats van Willem zou innemen.*

werden in die dagen voor jonge meisjes zorgvuldig verzwegen. Misschien heeft haar wel wereldwijze moeder haar dochter er voorzichtig op gewezen dat veel mannen niet monogaam zijn. Hoe het ook zij: moeder en dochter zagen dat dit een 'goed huwelijk' was. Zij wisten dat Emma de koning een troonopvolger zou kunnen geven en zeker prinses Helena zal hebben beseft dat de kans groot was dat Emma een aantal jaren regentes voor dat kind zou worden. Koningin van Nederland was wel iets anders dan echtgenote van één van de honderden Duitse Fürsten! Emma was opgevoed met een sterk plichtsgevoel; ook dit kan een rol hebben gespeeld bij haar bereidheid met deze man mee te gaan naar de verre kust aan de zee.

Op 30 september 1878 werd de verloving officieel bekend gemaakt; op 6 oktober werd een wetsontwerp ingediend bij het parlement 'inhoudende de goedkeuring van de door ons gewenste echtverbintenis'. Goedkeuring kan men het nauwelijks noemen: het wetsontwerp werd blijkens de Handelingen met 'zeer weinig sympathie ontvangen', maar de toestemming werd op 19 oktober wel verleend. De pers reageerde anders: het *Algemeen Handelsblad* bijvoorbeeld schreef: 'Bij het aangaan van deze verbintenis kon Zijne Majesteit slechts worden geleid door de stellige overtuiging dat hij met deze prinses gelukkig wezen zou. De natie kan in die overtuiging delen, want de jonge prinses is schoon en goed, bemind bij allen die haar kennen.' De krant had een profetischer blik dan het parlement.

Op 7 januari 1879 werd het huwelijk in Arolsen gesloten; een enkele Nederlandse krant had een verslaggever naar Waldeck-Pyrmont gestuurd, maar hét verslag is alleen te vinden in de al eerder genoemde *Waldecker Anzeiger*. Het begint weliswaar pas in het nummer van de 10de, maar wordt daarna nog dagen voortgezet. Het lezen van dit verslag is kostelijk amusement voor wie gewend is aan de hedendaagse journalistiek.

De redacteur begint keurig met de komst van de gasten, als eerste de koning, maar daarna in volgorde van aankomst door elkaar familieleden, vertegenwoordigers van Duitse vorsten en staten; ook Nederlanders worden genoemd. Pas daarna vertelt hij hoe in het prinselijk slot het huwelijk in de burgerlijke stand wordt ingeschreven en hoe het wordt ingezegend in de slotkapel. Die inzegening krijgt natuurlijk de meeste aandacht. Maar zelfs daarbij horen wij eerst iets over de komst van de ouders van de bruid en dan pas iets over de echte hoofdpersonen: 'Het hoge bruidspaar zit voor het altaar op het door de dames van Arolsen geschonken kleed, de hoge bruidegom is in glanzend admiraalsuniform, de hoge bruid in een kleed van zilverbrokaat, met konink-

◀ *Emma had natuurlijk na haar huwelijk ook de beschikking gekregen over de juwelen van het Huis van Oranje-Nassau, dat beschikte over een grote schat aan juwelen van Anna Paulowna, de vrouw van koning Willem II. Koningin Emma droeg ze weinig, maar toen zij in april 1882 samen met de koning in Londen het huwelijk bijwoonde van haar zuster Helena met de hertog van Albany, Victoria's jongste zoon, werd zij gefotografeerd met een zeer kostbaar diadeem en halssnoer.*

lijk hermelijn om de schouders, de mirtenkrans van de burgerdochters uit Arolsen, gevlochten door een stralend diadeem in het haar'. Met deze informatie over de bruid moesten de lezers van het blad het doen! Er volgt nog wel het nodige over de feesten na afloop van de bruiloft, die voortduren tot het jonge paar op vrijdag de 10de naar Nederland vertrekt.

De reis wordt natuurlijk per trein gemaakt; het eerste station in Nederland is Oldenzaal, waar de trein een kwartier stopt en het koninklijk paar door een enthousiaste menigte wordt ontvangen. Het is januari en dus worden de toespraken in de wachtkamer gehouden. De commissaris des konings in Overijssel, mr. J.H. Geertsema, is de eerste die hen toespreekt. Uit zijn woorden zou men beslist niet opmaken, dat er lauw op het huwelijk was gereageerd. Hij bejubelt de koning en beschrijft hem uitvoerig als 'de vorst uit het huis van Oranje-Nassau, het vorstenhuis waaraan Nederland zijn bestaan, opkomst en bloei te danken heeft; wiens geschiedenis met die van geheel ons verleden is saamgeweven, in wie men vindt, tegelijk met de herinneringen aan doorgestaan leed, aan duurgekochte maar welverdiende glorie, de beste waarborg voor haar voortdurend onafhankelijke voortbestaan.' Zijn woorden lezen de abonnees op de *Provinciale Overijsselsche en Zwolsche Courant* die dag in hun krant; op het verslag moeten zij tot 's maandags wachten! Dan is het koninklijk paar al lang gehuldigd op Het Loo, dat gedurende haar huwelijksjaren de voornaamste verblijfplaats van de jonge koningin zal worden.

Emma heeft bij de eerste ontvangsten blijk gegeven de maanden van haar verloving goed te hebben besteed: zij kan de toespraken verstaan en zij kan met de autoriteiten korte gesprekjes voeren in het Nederlands. Dit is te danken aan de lessen van de kort tevoren afgetreden rector van het Haagse gymnasium, dr. L.R. Beynen, die direct na de verloving met zijn dochter naar Arolsen is vertrok-

ken om Emma de taal te leren en haar enigszins vertrouwd te maken met het leven in Nederland. Vooral wat het laatste betreft, zal zijn dochter veel hebben kunnen doen!
De intocht in Amsterdam moet worden uitgesteld in verband met het overlijden van prins Hendrik, de broer van Willem III. Die intocht is een verplicht nummer, maar van reizen door het land is verder geen sprake.
In de eerste jaren is het nog wel een heen en weer getrek tussen Het Loo, Den Haag en Amsterdam. In 1884 brengen de koning en de koningin een staatsbezoek aan België, het eerste na de afscheiding. Maar daarna wordt de gezondheid van de koning minder en kan Emma zich geheel wijden aan haar op 31 augustus 1880 geboren dochtertje. Het belangrijkste dat de koningin verder in deze jaren doet, is zich grondig laten informeren over wat professor Huizinga later zou noemen 'het Nederlandse geestesmerk'. Na 1887 vergt de verzorging van de koning steeds meer van haar aandacht.
Op 20 november 1890 reisde zij op één dag heen en weer van Het Loo naar Den Haag om in het parlement de eed op de grondwet af te leggen als regentes voor de koning, die inmiddels geheel buiten staat was te regeren. Drie dagen later overleed de koning. Vier dagen na 's konings begrafenis, ging Emma andermaal naar het gebouw van de Staten-Generaal, want nu was zij regentes voor haar dochtertje.

N°. 205*. 1880.

BUITENGEWONE

NEDERLANDSCHE  **STAATS-COURANT.**

Dingsdag 31 Augustus.

NEDERLANDEN.

'S GRAVENHAGE den 31sten Augustus 1880.

Hare Majesteit de Koningin is heden avond ten zes ure door Gods goedheid bevallen van eene Prinses.

Omtrent deze heugelijke gebeurtenis is door de geneesheeren uitgegeven het navolgende bulletin:

Na een regelmatig verloopen zwangerschap vertoonden zich gister avond teekenen der naderende bevalling van Hare Majesteit de Koningin.

Heden namiddag ten zes ure verloste Hare Majesteit natuurlijk van eene welgeschapen Dochter.

Ten zeven ure bevonden zich Hare Majesteit en de jonggeboren Prinses naar omstandigheden redelijk wel.

's Gravenhage, den 31sten Augustus 1880.

Dr. VINKHUYZEN.
A. HOEK.

▲ *Bij geboorten in de koninklijke familie placht een extra-editie van de* Staatscourant *te worden uitgegeven, waarin mededeling van dit feit werd gedaan. In 1880 verscheen deze krant nog op de dag van Wilhelmina's geboorte. Zij bevatte ook het communiqué van de artsen die bij de bevalling aanwezig waren.*

Koningin Wilhelmina kreeg zelfs geen extra uur om zich voor te bereiden op haar taak. Op 31 augustus 1898 vierde zij haar achttiende verjaardag. Op dat moment eindigde automatisch Emma's regentschap.
Zoals gemeld had koningin Wilhelmina erop gestaan dat haar dochter op haar achttiende verjaardag in staat zou zijn de regering te aanvaarden. Maar daarvan hoefde geen sprake te zijn; het zou zelfs nog dertien jaar duren, voor de meest belangrijke jaren van Wilhelmina's regering – die van de Tweede Wereldoorlog – begonnen. Juliana mocht volgens haar eigen wens gaan studeren; het is wel duidelijk geworden dat haar moeder ietwat vreemd aankeek tegen het feit dat haar dochter als 'gewone' studente naar Leiden zou gaan. In het verleden hadden prinsen wel in Leiden gestudeerd, maar een meisje... en dan zo maar lid van de meisjesstudentenvereniging worden? Die vereniging, de V.V.S.L., had zodra haar het gerucht bereikte dat Juliana naar Leiden zou komen, de prinses het ere-lidmaatschap aangeboden, maar dat begeerde deze helemaal niet. Zij wilde gewoon mens onder de mensen zijn en dus ook als alle andere aspirant-leden van de V.V.S.L. het novitiaat meemaken. Helemaal gewoon werd het natuurlijk niet: Juliana ging met drie vriendinnen wonen in twee villa's in Katwijk, waar mevrouw A.L. Schoch, die al ettelijke jaren voor koningin Wilhelmina sociaal werk had gedaan

Van 1880 tot 1940 was het geen probleem wie lid was van het koninklijk huis: de familie was te klein. De vraag begon te klinken, toen prinses Irene zich verloofde en zonder toestemming van het parlement trouwde. Was zij nog lid van het koninklijk huis? Natuurlijk bleef zij lid van de koninklijke familie en zouden haar kinderen dit ook zijn, maar van het koninklijk huis? In verschillende wetten was en is er sprake van het koninklijk huis, maar in de grondwet stond er geen woord over. Die bepaalde toen alleen dat de koning onschendbaar is en dat de ministers verantwoordelijk zijn. Over familieleden van de koning werd in dit opzicht niets gezegd. Men ging er min of meer stilzwijgend vanuit dat de ministeriële verantwoordelijkheid ook hun gold, maar dat die ophield als een kind, zoals Christina zou doen na Irene, zonder toestemming van het parlement trouwde. Hier en daar werd de vraag gesteld of die verantwoordelijkheid ook gold voor de kinderen van prinses Margriet. De regering achtte het wenselijk formeel te bepalen wie lid waren van het koninklijk huis en voor wie de ministers verantwoordelijk zouden zijn. In de grondwet, zoals die na herziening in 1972 van kracht werd, luidt art. 21a: de wet regelt wie lid is van het koninklijk huis. Die wet liet echter op zich wachten; twee ontwerpen stuitten op verzet van koningin Juliana; zij wilde geen eerste- en tweederangs prinsen en die zouden er volgens haar komen, als de zoons van Margriet geen lid van het koninklijk huis zouden zijn. En dat zou het geval zijn als de wetsontwerpen wet waren geworden.
Pas in 1985 is het voorgeschreven wetje er gekomen; art. 1 hiervan luidt: met de koning als hoofd van het koninklijk huis zijn daarvan lid:
a. zij die krachtens de grondwet de koning kunnen opvolgen;
b. een koning die afstand van het koningschap heeft gedaan. Artikel 2 voegt hieraan toe: de echtgenoten van de in het eerste artikel genoemden. Wie het recht van opvolging verliest, verliest dus ook het lidmaatschap van het koninklijk huis.

▲ *Juliana mocht als kind wel eens naar het strand, maar dat was dan niet in het hartje van Scheveningen, want daar zou zij geen schep in de grond hebben kunnen steken, tenzij een heel stuk strand was afgezet.*
Aan de aanwezigheid van massa's mensen moest Juliana wel wennen, toen zij met haar moeder voor een officiële gelegenheid naar Scheveningen ging.

op Het Loo, hoofd van de huishouding werd.
De dag na haar aankomst bracht Katwijk de prinses een grootse aubade. Als zij in Leiden bij een studiegenote bleef logeren, moest er in de buurt van de voordeur ruimte zijn voor een rechercheur.
De prinses kon, omdat zij geen einddiploma gymnasium had, geen examens doen, maar zij deed wel een aantal tentamens. Ze was reëel genoeg om te beseffen dat het voor een examinator in die dagen ietwat moeilijk kon worden tegen haar te zeggen: 'Komt u over drie maanden maar terug' en dus 'moest ik zorgen dat ik mijn zaakjes behoorlijk kende', heeft zij eens gezegd. Toen zij vele jaren later in Groningen (in 1964) een eredoctoraat in de sociologie kreeg, zei zij tegen haar promotor, professor dr. P.J. Bouman: 'Als dat toen al mogelijk was geweest, had ik sociologie willen studeren.' Nu viel de keuze op een aantal vakken dat haar interesseerde, zoals de islam, fenomenologie van de godsdienst en nog enkele andere. Op 't Waerle gaf professor dr. J. Huizinga, de grote historicus, een aantal privatissima over algemene onderwerpen.
Aanvankelijk was het de bedoeling dat Juliana één jaar in Leiden zou blijven. Zij wist te bereiken dat zij tot

Ontwerp Jaarlied 1927
door Nofrititi

Wyze: „Wees gegroet met jubeltonen

Waar sinds ongetelde jaren.
D'oude Rijn door Leiden vloeit
En een eeuwig jonge schare
Zich met wetenschap bemoeit
Zijn wij de novietenschaar
Van het wonderheerlijk jaar
Negentien zeven en twintig
Heil onze studentkeel
Heil onze V.V.S.L
Heil ons jaar 1927!

—

Als men dan na jaren weder
Tot de groote kille keert
Bindt een band zoo sterk als teeder
Jonge vrouwen. zwaar geleerd
Wij zijn de novietenschaar
enz.

◀ *Novieten van de V.V.S.L. (Vereniging van Vrouwelijke Studenten Leiden) moesten toen Juliana in 1927 in Leiden aankwam, een jaarlied maken. Dat moest onder pseudoniem worden ingestuurd; Juliana koos als zodanig Nofrititi. Een jury bekeek alle aangeboden teksten; het verhaal wil dat de jury enigszins onthutst was toen men het vers van Nofrititi het beste achtte en de ware naam van de inzendster ontdekte. Juliana vertelde het gebeurde enthousiast aan haar moeder, die opmerkte dat het natuurlijk geen toeval was geweest. De jury ontkende dit met klem, maar of men niet – misschien half bewust – het toen al bekende handschrift van de prinses heeft herkend? Het gebeurde heeft Juliana's enthousiasme voor het wel en wee van de V.V.S.L. allerminst bekoeld; zij heeft tot haar vertrek uit Leiden volop als 'Jula' met alle evenementen meegedaan.*

januari 1930 mocht blijven om het lustrum van de V.V.S.L. mee te vieren. Zoals vele van haar tijdgenoten, was Juliana zeer maatschappelijk geëngageerd. Zij liep warm voor diverse idealen, waaronder pacifisme en medemenselijkheid, al heette die toen nog naastenliefde. Zij werd gegrepen door opvattingen van mensen als professor dr. Jan Tinbergen, de sociale hervormer en anti-militarist; professor dr. W. Banning, ook anti-militarist en sociaal vernieuwer en, toen al, door Kees Boeke.

Contact met zorgvuldig uitgekozen vrouwelijke leeftijdgenoten kreeg zij in een reeks 'kampen', die er toen ook helemaal bij hoorden en die op het Aardhuis bij Het Loo werden gehouden, jarenlang onder leiding van Mary Barger, een belangrijke figuur in de Christen Studenten- en Christen Jonge Vrouwenbeweging. De ervaringen die Juliana in deze jaren heeft beleefd, zijn een stempel blijven drukken op haar hele levensinstelling.

Dat haar studie werd afgesloten met een eredoctoraat in de letteren en wijsbegeerte, heeft de prinses allerminst gewaardeerd. Het zou haar veel liever zijn geweest, als zij normaal haar doctoraal had kunnen be-

▲ *Na de beëindiging van haar studie in Leiden maakte troonopvolgster Juliana alle officiële bezoeken van haar ouders mee. Het eerste bezoek gold in 1931 Parijs, waar o.a. een koloniale tentoonstelling werd bezocht. Juliana had op die tentoonstelling graag anoniem rondgelopen om datgene te bezichtigen wat zij wilde zien, maar in die dagen was zo iets nog onmogelijk.*

halen. Later zou zij vele ere-doctoraten in ontvangst nemen in binnen- en buitenland. Die heeft zij aanvaard op dezelfde wijze waarop zij andere onderscheidingen in ontvangst nam: als eerbetoon aan haar land en volk. Maar nu net in Leiden had het anders moeten kunnen.
Op haar achttiende jaar had Juliana de beschikking gekregen over een eigen paleisje aan de Kneuterdijk, maar daar heeft zij nooit gewoond. Na de Leidse tijd keerde zij terug naar haar ouderlijk huis. Het lag voor de hand dat zij haar moeder zou bijstaan bij representatieve werkzaamheden. In de zomer van 1931 vergezelde zij haar ouders bij hun officiële bezoek aan een koloniale tentoonstelling in Parijs; bij die gelegenheid bleek al iets van haar afkeer van louter formele en officiële plichtplegingen. Als jonge vrouw was zij hevig geïnteresseerd in veel van wat er in Parijs werd getoond, maar een plannetje de tentoonstelling anoniem te bezoeken, werd in die dagen nog verhinderd door het hof.
Het duurde echter niet lang meer, of zij kreeg echt 'werk'. In 1929 was in Amerika de economische crisis losgebarsten, die ook in Nederland zou leiden tot grote werkloosheid en ernstige economische problemen. Een werkloosheidswet was er niet; wie werkloos werd was aangewezen op steun van kerkelijke en particuliere organisaties; in uiterste nood konden bepaalde groepen gaan 'stempelen' en een zeer karige uitkering krijgen. Bij wie de gedachte aan een 'Nationaal Crisiscomité' het eerst is opgekomen, bij de koningin of de prinses, weten wij niet, maar wij weten wel dat Juliana op 18 oktober 1931 de oud-commissaris van de Koningin in Gelderland, jhr.dr. S. van Citters opbelde – zij was nooit bang geweest van de telefoon! – of hij een comité zou willen vormen om geld in te zamelen ter leniging van de ergste noden. Juliana kende de heer Van Citters, omdat zij bevriend was met zijn dochter.
De heer Van Citters zou voorzitter van dit comité moeten worden; Juliana was bereid het ere-voorzitterschap te aanvaarden en zij stelde haar paleis als kantoor ter beschikking. Daar

▲ *Haar achtentwintigste verjaardag was de eerste die Juliana in haar eigen huis, paleis Soestdijk, vierde. Tot dan toe waren er net als op koninginnedag (toen 31 augustus) op haar verjaardag overal in het land Oranje-feesten gevierd, maar de jarigen zelf vierden het in eigen kring. Die dag werd het eerste defilé gehouden, min of meer geïmproviseerd. Het was ook een soort welkom van de bevolking, want het prinselijk paar was net terug van de huwelijksreis. Na de oorlog zou het houden van een defilé traditie worden.*

bleef het niet bij; de ere-voorzitter woonde bijna alle besprekingen bij en zonodig verving zij een typiste of secretaresse. Enige jaren lang heeft zij hieraan veel tijd gegeven, hoewel het haar allengs duidelijker werd dat de liefdadigheid, waaruit dit comité werkte, niet meer thuis hoorde in de wereld van het moderne sociale denken.
Toen het comité zachtjes aan het werk staakte, had Juliana trouwens al een andere werkkring die veel van haar aandacht vroeg. Haar vader prins Hendrik, die een kwart eeuw voorzitter van het Nederlandsche Roode Kruis was geweest, was op 3 juli 1934 overleden. Op 1 december van dat jaar nam Juliana deze functie op zich, zij bleef voorzitter tot haar troonsbestijging toe. Ook in Canada heeft zij veel werk voor het Rode Kruis verzet.
De laatste jaren voor de Tweede Wereldoorlog kwam Juliana door haar huwelijk en de geboorte van twee kinderen op andere wijze in de publiciteit dan door haar sociale werk.
Op 3 september 1939 brak de Tweede Wereldoorlog uit. Vrijwel onmiddellijk, op 5 oktober, werd in ons land weer een algemeen steuncomité onder leiding van Juliana opgericht. Dit comité hield uiteraard op 14 mei 1940 op te bestaan.

Nog in 1939 bood Hendrik Willem van Loon, de Nederlandse schrijver die zich in de Verenigde Staten had gevestigd, Juliana en haar kinderen gastvrijheid aan als zij het wenselijk achtten Nederland tijdelijk te verlaten. Op dat moment werd de uitnodiging afgewezen, maar dit betekende niet dat er geen zorgvuldige voorbereidingen werden getroffen voor een ballingschap van de koninklijke familie. Op 10 mei 1940 stond het als een paal boven water dat de koningin met kind en kleinkinderen uit het land zou moeten vertrekken, wilden zij niet in handen van de nazi's vallen. Twee dagen later achtten de koningin en de legerleiding het ogenblik gekomen voor het vertrek van het prinselijk gezin naar Engeland, een dag

later zouden de koningin en het kabinet volgen.
Niet alle Nederlanders begrepen onmiddellijk de noodzaak van dit vertrek; wie het wel deed was de zeer hoogbejaarde hofprediker, ds. W.L. Welter, wiens verwoording van de gebeurtenissen het eerste 'geuzenlied' uit de jaren '40-'45 leverde:

▼ *Op 30 augustus 1939 komt de gehele koninklijke familie (baby Irene is al binnengebracht) naar Den Haag, want het staat vast dat er oorlog zal uitbreken. In 1914 had de koningin hetzelfde gedaan; in tijden van gevaar wilde zij direct contact met het kabinet kunnen hebben. Zij had toen ruim vier jaar in Den Haag gewoond, met een enkele vakantie op het nabijgelegen buitenhuis Ruigenhoek. Nu zou zij nog geen jaar later naar Londen vertrekken om de vrije stem van Nederland te laten horen. In 1914 en op 30 augustus 1939 hief de koningin luidkeels de kreet aan 'Leve het vaderland!'*

Neen, 't was geen vlucht die u deed gaan,
maar volgen, waar God riep;
'k vraag niet wat in u is doorstaan,
een strijd hoe zwaar, hoe diep.

In de voorzomer van 1940 stond het ondanks de vastberadenheid van de nieuwe eerste minister Winston Churchill allerminst vast dat Engeland een inval van de nazi's zou kunnen afslaan. Veel Engelse families zonden hun kinderen naar veiliger oorden. Koningin Wilhelmina achtte het ook raadzaam, dat Juliana en de kinderen naar een veiliger land gingen.
Op 2 juni vertrok de kruiser *Sumatra* met de prinses, haar beide kinderen, hun verzorgster freule Sophie Feith, haar vriendin Martine Röell-Delcourt van Krimpen met haar dochtertje Renée, enkele medewerkers en bewakers naar Canada.
Kort na aankomst stelde Juliana het gezin via de radio voor aan het Canadese volk. In die rede zei zij: 'Ik had niet erg veel gereisd voor ik deze plotselinge reis begon.' Het was juist: het was al een beetje ongewoon geweest dat de prinses met haar moeder voor vakantie naar Noorwegen placht te gaan. Tijdens haar huwelijksreis had zij even gesnoven aan de Poolse Karpaten, Hongarije en Rome, maar buiten Europa was zij nooit geweest.
Vijf jaar lang zou Juliana met de haren in Ottawa wonen en ambassadrice van Nederland zijn in Canada en de Verenigde Staten. Het werden voor het hele gezin jaren waarin hun wereld grondig veranderde. De 'vernieuwing', die het ideaal werd en zou blijven van koningin Wilhelmina, mocht dan heel weinig werkelijkheid worden na 1945; de monarchie, zoals die in grote lijnen stand had gehouden tot 1940, werd anders, omdat Juliana en haar kinderen veel meer in de gewone wereld hadden kunnen leven, en dan nog wel in de Amerikaanse. De Verenigde Staten hadden nooit een erfelijk staatshoofd gehad en voor de Canadezen speelde het formele staatshoofd in Londen ook nauwelijks een rol. Natuurlijk heeft de

president van de Verenigde Staten een heel uitgebreide staf en wordt hij streng bewaakt; voor de gouverneur-generaal van Canada geldt dit in iets mindere mate, maar in geen van beide landen bestaat er een 'hof'. Dit was er in Nederland, ondanks alle versoberingen die koningin Wilhelmina sinds 1914 had aangebracht, tot 1940 wel geweest. Daar werd in feite de dienst uitgemaakt door hovelingen. Juliana had even meegedaan in een andere gemeenschap in de Leidse jaren, nu echter werd een nog veel genuanceerder wereld de hare. Daarenboven moet niet uit het oog worden verloren dat zij het dagelijkse contact met haar moeder en haar man miste en veel zelfstandiger beslissingen moest nemen dan vroeger.
Nog voor het eind van 1940 brengt Juliana een bezoek aan president Roosevelt en zijn vrouw en gaat o.a. naar het Seaman's Institute in New York. Het blijft niet bij dit ene bezoek. Er volgen er vele: aan de naar het westelijk halfrond uitgewekenen, aan mensen van de marine en de handelsvloot, maar ook aan Amerikaanse en Canadese instellingen. Eind 1943 en begin 1944 reist de prinses naar Suriname en de Nederlandse Antillen; en passant gaat zij even naar Venezuela en San Domingo. Tot 1940 was Hendrik de Zeevaarder, broer van koning Willem III, de enige Oranje die ooit enig deel van de koloniën had bezocht. Wilhelmina huldigde de opvatting dat zij niet de maanden die een bezoek aan Nederlands-Indië zou eisen, uit Nederland weg kon en bovendien vreesde zij dat zij niet de pracht en praal ten toon zou spreiden die de 'inlanders' van haar verwachtten. De koningin had zich niet door Juliana willen laten vervangen, zolang die nog niet getrouwd was en na haar huwelijk was er door Juliana's zwangerschappen geen gelegenheid voor. Na 1945 staan bezoeken aan Suriname en de Nederlandse Antillen regelmatig op de agenda van leden van de koninklijke familie.
De ballingschap deelt de kroonprinses met alle andere Nederlanders die aan de nazi's hebben weten te ontkomen, maar in tegenstelling tot verreweg de meesten kan zij contact houden, in de eerste plaats met haar moeder die twee keer en haar man die ge-

▼ *In november 1943 bracht prinses Juliana een bezoek aan Suriname; zij zette voor het eerst sinds 12 mei 1940 weer voet op Nederlandse bodem. Zij werd na de landing in Paramaribo begroet met het traditionele eerbetoon; hoofddoeken werden op de grond gespreid opdat de hoge gast de zolen van haar schoenen niet vuil zou maken.*

In de zomer van 1947 brachten Winston Churchill en zijn vrouw weer een bezoek aan Nederland. De Britse staatsman hield toen een vurig pleidooi voor samenwerking in Europa en met de Verenigde Staten.
De heer en mevrouw Churchill gingen ook naar Soestdijk, waar Churchill vriendelijk, maar een beetje benauwd glimlacht als Juliana hem haar jongste dochtertje wil overhandigen.
Dit is één van de weinige foto's van vóór 1976 waarop Bernhard in burger is.

regeld overkomt, en zij kan corresponderen met vrienden in Nederland, omdat zij post kan verzenden via diplomatieke vertegenwoordigingen van Nederland in neutrale landen.
Begin september 1944 vliegt de prinses naar Engeland. De bevrijding van Nederland is immers op handen! In januari 1945 staat vast dat het nog maanden zal duren voor de koninklijke familie zal kunnen teruggaan. De prinses gaat naar Canada, maar zij is zo tijdig weer in Engeland dat zij samen met haar moeder op 3 mei haar intrek kan nemen in de al eerder door Bernhard als hoofdkwartier gebruikte villa Anneville bij Breda.
Het duurt nog een paar maanden voor het gezin is herenigd; op 2 augustus landt Juliana met de kinderen op vliegveld Teuge en drie dagen later is er een groot kinderfeest op Soestdijk ter gelegenheid van Irene's zesde verjaardag. Het paleis is keurig op orde dank zij de Baarnse en Soestdijkse vrouwen die alle sporen van het gebruik door de nazi's hebben uitgewist en dank zij het hofpersoneel dat ervoor heeft gezorgd, dat het huisraad snel uit Duitsland was teruggehaald.
Juliana kan zich nog ruim twee jaar inzetten voor haar gezin en de herrijzenis van Nederland. Dit laatste doet zij op velerlei wijze, het meest door het voorzitterschap van Nederlands Volksherstel. Deze organisatie kan minder doen dan de voorzitster wel zou willen, want doordat de bevrijding van het land in etappes is verlopen, zijn er zowel in het bevrijde zuiden, als in het nog bezette westen al allerlei organisaties aan het werk gegaan, publiekelijk of nog illegaal.
Op 14 oktober 1947 legt Juliana de eed af als regentes; haar moeder kan het niet meer aan. Dit eerste regentschap duurt tot 1 december, maar op 14 mei 1948 moet de prinses opnieuw de taak van haar moeder overnemen en dan weet zij, dat zij op 4 september koningin Juliana zal zijn.

De achttiende verjaardag van prinses Beatrix is alleen gevierd door het uitsteken van de vlag; de jarige zat voor haar eindexamen gymnasium. Wel werd zij op 7 februari 1956 door haar moeder geïnstalleerd als lid van de Raad van State, waarvan zij krachtens de grondwet op 31 januari lid was geworden.
Dat Beatrix na het behalen van haar einddiploma in Leiden zou gaan studeren was even vanzelfsprekend als het bijna dertig jaar tevoren toen haar moeder zo ver was, discutabel was. Voor haar moeder was de studententijd het – even – binnengaan geweest van een andere wereld; Beatrix had in de Canadese jaren veel intensiever in zo'n andere wereld geleefd. Zij zou het pas meer dan dertig jaar later zeggen, maar na de terugkeer in Nederland was het haar allengs duidelijk geworden, dat zij nooit als 'gewoon mens' zou worden beschouwd, hoe zeer zij zelf daarnaar ook streefde. Zij heeft dit al jong aanvaard en daardoor werden haar Leidse jaren heel anders dan die van haar moeder.
Voor Beatrix was de Leidse tijd er een van enorme concentratie op haar werk, dat zij goed wilde doen. Deze instelling wordt bewezen door het feit dat zij haar doctoraal examen rechten, vrije studierichting sociologie, ondanks haar verplichtingen als kroonprinses in vijf jaar – voor veel studenten uit die dagen een heel korte tijd! – haalde. Tegen haar is wel een keer gezegd dat het beter was als zij voor een bepaald tentamen nog maar eens terugkwam. De houding van de hoogleraren was veranderd, maar het zakken was heel begrijpelijk, want in tegenstelling tot haar moeder heeft Beatrix zich in haar studiejaren ook met velerlei andere zaken bezig gehouden.
Niet alleen had zij in de eerste drie Leidse jaren meer dan negentig officiële verplichtingen gehad. Ze begon ook met het maken van studiereizen. In 1958 heeft zij samen met Irene een reis gemaakt door Suriname en de Nederlandse Antillen. Het zou het

▲ *Op 31 januari 1956 viert Beatrix haar achttiende verjaardag. Zij is gerechtigd haar moeder zo nodig op te volgen. De verjaardag wordt nauwelijks gevierd, want de prinses zit voor haar eindexamen gymnasium. In het Paleis op de Dam heeft alleen een diner plaats, waarbij ministers aanwezig zijn, maar ook degenen die betrokken zouden zijn geweest bij een regentschap, als Juliana voortijdig was overleden. Men ziet o.a. dra. Anna de Waal, de eerste vrouwelijke staatssecretaris en dr. Marga Klompé, de eerste vrouwelijke minister. Wilhelmina, die na haar abdicatie zelden voor het voetlicht trad, was die avond wel aanwezig.*

eerste zijn van een reeks bezoeken aan deze rijksdelen; ook na haar huwelijk en haar troonsbestijging ging zij er met prins Claus een aantal malen heen. Een jaar na de eerste reis naar de West steekt de prinses weer de oceaan over om als gast van de jubileumcommissie de viering bij te wonen van het feest ter herinnering aan het feit, dat de Nederlanders drie eeuwen tevoren de Hudson waren opgevaren en daar de grondslag hadden gelegd voor wat later de staat New York zou worden.
Daarbij bleef het niet. Op Soestdijk waren de kinderen in een Europese geest opgevoed; hun moeder was een van de voorvechters van een Verenigd Europa en zij juichte het toe dat eerst de Kolen- en Staalgemeenschap en enkele jaren later (1956) de Europese Economische Gemeenschap tot stand kwam.
Geen wonder dat zij haar dochters de nodige duwtjes in Europese richting gaf, die zeker Beatrix zich heeft laten welgevallen.
Hoe krachtig die geweest waren bleek in 1961. Beatrix ging met haar vader mee naar een congres van de Fondation Européenne de la Culture in Toulouse. Daaraan namen ook enkele honderden jongeren deel en hen sprak de Nederlandse kroonprinses toe met een 'Europese belijdenis'. De rede in Toulouse zou blijken meer te zijn dan een goedbedoeld verhaal. Ze leidde tot dc oprichting van de 'Europese Werkgemeenschap' door jongeren die met elkaar wilden discussië-

In 1965, net voor haar verloving, bracht Beatrix weer een bezoek aan Suriname. Bij een tocht op de Marowijne fotografeerde de prinses ijveriger dan één van de andere deelnemers; ook de inwoners van het riviergebied kregen haar volle aandacht.

▲ *De souvereine johanniter orde, opgericht in 1029, bestaat nog altijd, al heeft zij geen souvereine macht meer. Vorsten en leden van de adel zijn er lid van. De leden zijn verplicht elkaar bij te staan. Een enkele keer wordt er op een lid een speciaal beroep gedaan. Op 19 juni 1959 installeerde prins Bernhard zijn oudste dochter als erecommandeur van deze orde; de plechtigheid had plaats in de Haagse Ridderzaal.*

▲ *Danny Kaye heeft zich jarenlang beijverd om geld bijeen te praten voor het UNICEF-fonds van de Verenigde Naties. In november 1966 was hij daarvoor ook in Nederland. Na een bezoek aan Soestdijk ontmoette hij Beatrix en Claus in Singer in Laren, waar opnamen voor de televisie werden gemaakt die ook geld in het laatje moesten brengen.*

ren over Europese problemen, maar die vooral iets wilden doen. Kleine projecten werden eigenhandig door de leden van de groep uitgevoerd; hét grote project zou de herbouw van het door een aardbeving volkomen vernietigde dorp Dousadj in Perzië worden. De prinses had de verwoesting gezien tijdens een reis naar het Midden- en Verre Oosten in 1962 en haar reactie was: wij jongeren moeten dit dorp herbouwen. Vanuit haar kantoortje – twee kamers in het pand van een makelaarsfirma aan de Amsterdamse Nieuwezijds Voorburgwal – zorgde zij ervoor dat er geld en goederen kwamen voor de wederopbouw. Zij kon niet mee met andere leden van de gemeenschap die in Perzië gingen werken, maar haar inzet was er niet minder om. Als zij in 1963 haar ouders vergezelt op een staatsbezoek

DAGEN
70mm. in TECHN
ONISCH GELU
DAVID
BOUWSTE
voor DOUSA

◀ *De Europese Werkgemeenschap, die in 1962 door prinses Beatrix was opgericht en waarvan zij de ziel was, had hulpverlening als doel. Het grootste project was de herbouw van het dorp Dousadj in Perzië, dat met vele andere dorpen door een aardbeving verwoest was. Beatrix poogt de Amerikaanse filmster Charlton Heston te bewegen een bijdrage te geven.*

▲ *In 1962 ondernam Beatrix een grote reis naar Azië; zij bezocht daarbij in Teheran ook de toenmalige sjah en zijn vrouw. De prinses moest haar reis afbreken door het overlijden van koningin Wilhelmina. In 1963 zou zij haar ouders vergezellen op een staatsbezoek aan Aziatische landen, waar Perzië weer werd aangedaan.*

aan Perzië, gaat zij ook naar het dorp dat van de sjah nu Beatrix' naam krijgt.

Het bezoek in 1962 aan Perzië was een onderdeel van een reis door het Midden- en Verre Oosten. Die reis werd in Hongkong onderbroken als gevolg van het overlijden van haar grootmoeder Wilhelmina. Maar het volgende jaar zette zij haar voort door Japan en vandaar ging zij naar de Verenigde Staten, waar zij bezoeken bracht aan president Kennedy en het hoofdkwartier van de Verenigde Naties. Dit alles is gemakkelijk neergeschreven, maar het vereiste veel voorbereiding van de prinses. Voor het begin van de reis had een hoogleraar Perzisch haar gedurende vele uren op de hoogte gebracht van de geschiedenis en ontwikkeling van dit oude rijk. En hetzelfde gebeurde door andere deskundigen over de andere landen.

Na haar huwelijk kon Beatrix een paar jaar lang minder reizen maken vanwege haar zwangerschappen. Maar in 1970 ging het kroonprinselijk paar alweer naar New York, Honolulu, Hongkong en Japan. In de loop der jaren bezoekt het paar vrijwel de gehele wereld. Zij hebben een aantal landen in Afrika bezocht en waren al voor Beatrix' troonsbestijging te gast in Australië en Nieuw-Zeeland. Het bleef niet bij bezoeken aan landen die nog ten tijde van koningin Wilhelmina heel ver en vreemd waren voor verreweg de meeste Europeanen; de prinses ging eerst zonder, later met haar man naar vele internationale organisaties. Het hoofdkwartier van de Euro-

Tijdens een bezoek aan Japan hebben Beatrix en Claus even tijd om in Tokio te winkelen (april 1970); het kan daar ook regenen! Ze bezoeken enkele toeristische attracties, waarbij ze wel begeleid worden door vertegenwoordigers van hun gastheren.

pese Gemeenschap in Brussel is voor Beatrix bijna even bekend terrein als het Binnenhof in Den Haag. Zij heeft de NAVO, SHAPE, de Wereldraad van Kerken en het World Wildlife Fund bezocht. Als koningin zou zij het Europese parlement in Straatsburg toespreken dat zij al enige malen had bezocht.

Bij onderdelen van haar studie had zij zich ingewerkt in de staatkundige taak die haar te wachten stond; na die studie bezocht zij de vergaderingen van de Raad van State geregeld – haar moeder had dit minder vaak gedaan en haar grootmoeder uiteraard nooit – en dan bleek herhaaldelijk dat zij de stukken behoorlijk gelezen had. Daarnaast behoorde betrokkenheid bij sociaal werk traditioneel ook tot haar taak. En als prinses had zij in Nederland ook nog het nodige te doen. Haar eerste beschermvrouwschap, dat van de Samenwerkende Instituten voor Kunstonderwijs, aanvaardde zij op de dag van haar blijde inkomst in Amsterdam op 30 juni 1956; heel snel daarna volgde dat van het Nationaal Fonds voor de bestrijding van kinderverlamming, dat later haar naam zou gaan dragen en zijn werkterrein aanzienlijk zou uitbreiden. Organisaties die werkzaam zijn op het terrein van gehandicaptenzorg hadden het geld gekregen dat als nationaal huwelijksgeschenk aan het prinselijk paar werd aangeboden. Tot haar troonsbestijging betekende een beschermvrouwschap voor de prinses steeds meer dan het geven van haar naam; met het werk voor kunstonderwijs en voor gehandicapten heeft zij zich jaren actief bezig gehouden.
Dat het eerste beschermvrouwschap het kunstonderwijs betrof, was niet vreemd; van haar kinderjaren af heeft Beatrix grote belangstelling gehad voor de beeldende kunsten, met name beeldhouwen, en voor toneel en ballet. Op de persconferentie bij de aankondiging van hun verloving werd het prinselijk paar gevraagd naar belangstelling voor muziek. Claus zei uit de grond van zijn hart dat zijn belangstelling groot was en dat hij zelfs al contact had gehad met het Concertgebouworkest. Beatrix bekende een beetje bedeesd dat haar muzikale belangstelling op andere soorten muziek was gericht, maar zij voegde er direct aan toe dat Claus daarin wel verandering zou kunnen brengen, hetgeen ook gebeurd is.
De bijna vijfentwintig jaar die verstreken zijn tussen de dag waarop Beatrix de troon had kunnen bestijgen en die waarop zij als koningin werd ingehuldigd, heeft de prinses beslist niet ongebruikt gelaten.

4. De dynastie voortzetten

Het huwelijk van koningin Emma werd in Arolsen gesloten en ging vooraf aan haar komst naar Nederland. Haar opvolgsters vonden haar man weliswaar ook in Duitsland, maar de verlovingen werden in Nederland bekend gemaakt en daar vonden ook de huwelijken plaats.
In 1898 had Wilhelmina de regering aanvaard; het lag voor de hand, dat zij spoedig zou trouwen. Het lag evenzeer voor de hand dat haar moeder zou nagaan wie de geschikte man voor haar dochter was. Deze man moest van vorstelijken huize zijn, geen aanspraken maken op een buitenlandse troon en lidmaat zijn van een protestantse Kerk. Van een lid van de hoge Engelse adel kon in die dagen nauwelijks sprake zijn; het was de tijd van de Boerenoorlogen en de Nederlanders, voorgegaan door hun koningin, waren fel pro-Boer. Zuid-Europa kwam ook niet in aanmerking; in de Scandinavische landen waren geen jonge prinsen beschikbaar. Dus moest koningin Emma in Duitsland zoeken. Zij zal stellig haar eigen familie om raad hebben gevraagd. Het is geen geheim dat de Duitse keizer Wilhelm II, die zich hevig interesseerde voor de jonge koningin, Emma tips heeft gegeven.

▶ *De eerste foto van koningin Emma met haar baby. Niemand dacht er toen aan om direct na de geboorte een foto te laten maken; de privacy, ook van een koninklijke moeder, moest worden gehandhaafd.*
In 1880 was er vrij duidelijk gespeculeerd op een jongen; waarom is niet bekend, want de oudste zoon van Willem III had in Parijs een leven geleid dat hem niet op de beste wijze had voorbereid op het koningschap. Maar toch gaf het Leidsch Dagblad *zijn hoofdartikel de kop mee:* 'T IS MAAR EEN MEISJE.

▶ *Het burgerlijk huwelijk van koningin Wilhelmina en prins Hendrik werd op 7 februari 1901 in het paleis Noordeinde gesloten; de kerkelijke inzegening vond plaats in de Haagse Grote Kerk. Wat men gedaan heeft om de temperatuur in de kerk enigszins redelijk te maken voor de dames in gala-gewaden vermeldt de geschiedenis niet. Er zal ongetwijfeld op enigerlei manier te voren flink gestookt zijn. Normale verwarming van kerken is iets van veel later tijd.*

In *Eenzaam maar niet alleen* lezen wij hoe het spel geënsceneerd werd. Emma en haar dochter woonden in de zomer van 1900 in Arolsen het huwelijk bij van Emma's jongste zuster; daarna gingen de beide koninginnen naar een hotel in Schwarzburg in Thüringen 'om uit te rusten en van de berglucht te genieten en... voor kennismaking met Hendrik, gelijk later bleek'. Hendrik, jongere zoon van de groothertog van Mecklenburg-Schwerin, logeerde bij zijn grootmoeder en tante op slot Schwarzburg en kwam zijn opwachting maken bij de twee vorstinnen, zoals Bernhard dat veel later zou doen.
Dit leidde tot een tegenbezoek, gevolgd door een picknick en toen 'begonnen wij ons af te vragen of een wandeling hand in hand door het leven aan te bevelen ware'. Na enige tijd verzocht Hendrik schriftelijk toestemming de kennismaking voort te zetten. De ontmoeting vond plaats bij de pasgetrouwde zuster van Emma en op 12 oktober na het noenmaal werd het jonge paar alleen gelaten. 'We werden het in zeer korte tijd eens en binnen tien minuten verschenen we bij de anderen als verloofd paar.' De formele verloving vond in Nederland plaats, waar Hendrik enkele weken kwam logeren. Het huwelijk werd, na instemming van de Staten-Generaal, op 7 februari 1901 in Den Haag voltrokken.
Spoedig zou blijken dat het niet in de hemel gesloten was. Emma had zich kennelijk niet voldoende verdiept in de persoonlijkheid van haar dochter en in die van haar aanstaande schoonzoon. Wilhelmina was een heel sterke persoonlijkheid die er niet over dacht haar man te betrekken bij enig deel van haar regeringswerk. Zij hield er evenmin rekening mee dat haar man een eigen taak zou willen hebben. Later zou de prins eens opmerken, dat hij zich altijd 'bagage' had gevoeld.
Hendrik was een goedige, niet van humor gespeende landjonker, die, als hij getrouwd was met een meegaand freuletje uit zijn omgeving vermoedelijk een goed landheer zou zijn geworden en mogelijk een trouw echtgenoot.

De grote klap kwam al snel na de huwelijksvoltrekking. Op 19 april 1902 werd bekend gemaakt dat de koningin leed aan tyfeuze koortsen. Maar

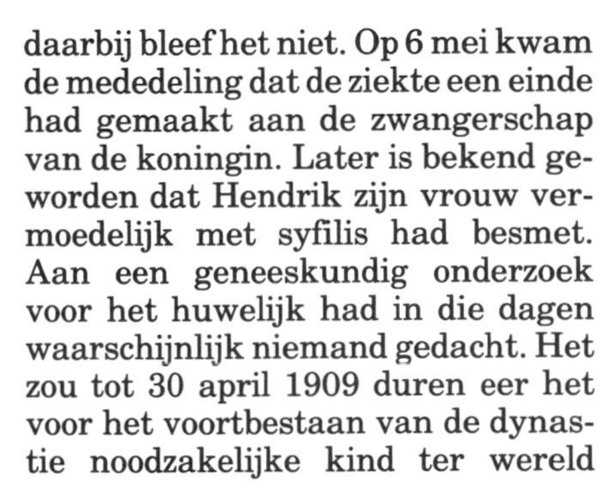

daarbij bleef het niet. Op 6 mei kwam de mededeling dat de ziekte een einde had gemaakt aan de zwangerschap van de koningin. Later is bekend geworden dat Hendrik zijn vrouw vermoedelijk met syfilis had besmet. Aan een geneeskundig onderzoek voor het huwelijk had in die dagen waarschijnlijk niemand gedacht. Het zou tot 30 april 1909 duren eer het voor het voortbestaan van de dynastie noodzakelijke kind ter wereld kwam: Juliana. Zij zou later eens zeggen: 'Mijn grootmoeder is een schat, mijn moeder een deftige dame en mijn vader een jofele kerel.'

Hendrik was al snel zijn vermaak buitenshuis gaan zoeken; dat hij daarbij de omgang met vrouwen niet meed, was gebruikelijk, evenals het gewoon was dat er vrouwen waren, die de prins chanteerden.

Kort na de Eerste Wereldoorlog verloor Hendrik de apanage, de toelage die hem werd verstrekt door de groothertog van Mecklenburg-Schwerin en daarna was hij geheel aangewezen op wat zijn vrouw hem gaf. Allerlei rekeningen voor de prins kwamen automatisch bij de koningin terecht. In die dagen heeft Wilhelmina een echtscheiding overwogen, maar zij heeft ervan afgezien op advies van haar raadgevers, die meenden dat dit, kort na het vallen van zoveel tronen, gevaar kon opleveren voor de Nederlandse dynastie. Het huwelijk bleef formeel in stand, maar de echtgenoten gingen ieder huns weegs. Dat de wegen die haar man ging de koningin niet bepaald welgevallig waren, blijkt uit het feit, dat zij, soms door tussenkomst van de toenmalige minister-president dr. H. Colijn, Hendriks plannen dwarsboomde en zelfs liet verbieden.

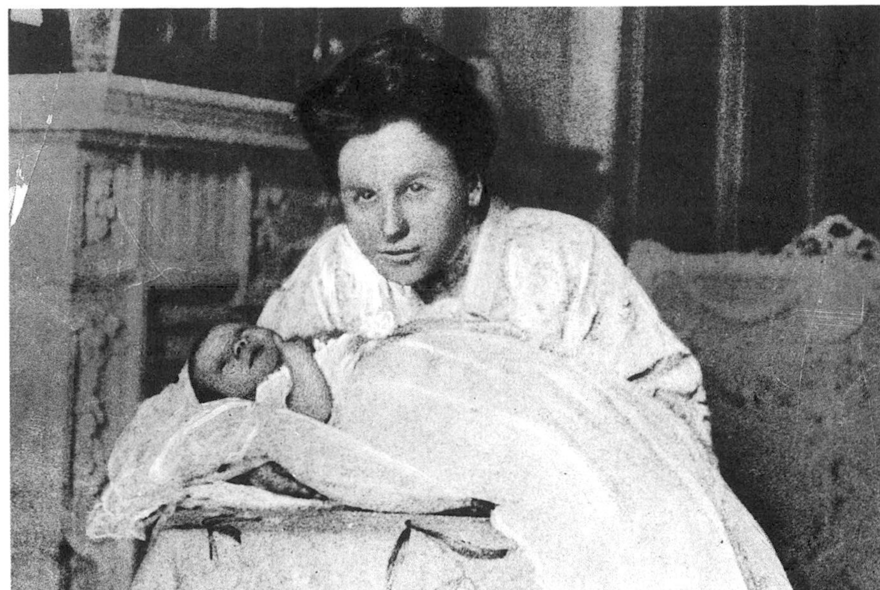

▲ *De eerste, door prins Hendrik genomen, foto van de pasgeboren Juliana met haar moeder, die strak in de lens kijkt. De belichtingstijd binnenshuis was in die dagen nog heel lang.*

In 1934 gingen koningin en prins, zoals gebruikelijk, afzonderlijk op reis. Hendrik ging kuren in Karlsbad. Hij kwam in de derde week van juni terug; vrijwel op hetzelfde moment vertrok de koningin voor een vakantie naar Zwitserland. Na zes dagen moest zij al terugkeren: Hendrik had een hartaanval gehad. Wilhelmina kwam, maar zij ging niet naar het paleis Noordeinde, waar Hendrik ziek lag. Zij nam haar intrek in Huis ten Bosch. Op 3 juli was zij in het paleis aan het Lange Voorhout voor een laatste lunch met het personeel van koningin Emma, die enkele maanden tevoren was overleden. Maar daar kreeg zij kort na aankomst telefoon, dat haar man een tweede hartaanval had gehad. Toen zij in het Noordeinde kwam, was hij al overleden. De volgende ochtend stond zij in alle eenzaamheid op de kade in Hoek van Holland om haar dochter af te halen, die vakantie had gehouden in Engeland en die zij niet eerder had laten terugkomen.

◀ *Het geloof van prins Hendrik had duidelijk de invloed ondergaan van de oosterse mystiek. Nederland merkte dat, toen hij volgens zijn wens in het wit werd begraven en de hofrouw ook wit was. Ook koningin Wilhelmina's begrafenis in 1962 geschiedde in het wit.*

Na Hendriks dood sprak de koningin maandenlang elke avond tegen haar dames de compagnie, zeer lovend over hem. In *Eenzaam maar niet alleen* krijgt men sterk de indruk dat de koningin heeft ingezien dat zij niet geheel onschuldig was aan het mislukken van haar huwelijk. Zij doet het voorkomen alsof er vooral op geestelijk gebied een nauwe band tussen hen bestond en zij beschrijft uitvoerig hoe zij hem op vele gebieden zeer waardeerde.
Hoe de verhouding tussen koningin en prins in de latere jaren werkelijk is geweest, zullen wij vermoedelijk nooit weten.
Haar visie hierop heeft Wilhelmina in *Eenzaam maar niet alleen* willen geven. Het is bekend, dat zij in haar laatste levensjaren heel wat papieren heeft vernietigd, waaronder er mogelijk waren, die iets anders zouden openbaren.

Na de dood van Emma en Hendrik bestond de dynastie weer uit twee vrouwen. Natuurlijk hadden er al jarenlang verhalen de ronde gedaan over een verloving van de Nederlandse troonopvolgster, waarbij namen genoemd waren van prinsen van wie Juliana waarschijnlijk nog nooit had gehoord. Nog altijd was het niet zo, dat een huwelijk van de prinses 'met een gewone Nederlandse jongen' mogelijk werd geacht. Zelfs een huwelijk met een lid van oude en hoge Nederlandse adel is nooit ernstig overwogen. De kans dat een lid van de koninklijke familie 'zo maar' Nederlandse familie zou hebben, durfde men niet aan. Pas een generatie later zou de familie van Pieter van Vollenhoven blijk geven, dat het wel mogelijk was. Na de machtsaanvaarding door Hitler was de keuze nog beperkter geworden. Een aantal Duitse prinsen had zijn zijde gekozen en viel dus als huwelijkskandidaat af. Welke prins was wel aanvaardbaar en – een factor die bij Juliana sterk meespeelde – met wie wilde de prinses haar leven delen?

Nederlandse gezanten kregen de order of het verzoek heel discreet uit te kijken naar een man van vorstelijke

▲ *Tijdens de kleuterjaren van Juliana maakte het hof nauwelijks gebruik van auto's. Wilhelmina en Hendrik gebruikten rijtuigen, ook voor grotere afstanden, maar de reis van Het Loo naar Den Haag werd altijd per koninklijke trein gemaakt. Die trein stopte aan het speciale station van Het Loo. Deze foto is augustus 1911 genomen.*

afkomst, met wie de troonopvolgster wilde trouwen.

En dan gebeurt er iets vreemds. De prinses zou later zeggen, dat zij het reizen via Duitsland in de nazitijd naar een vakantieoord in Zwitserland afschuwelijk had gevonden, maar eind januari 1936 vertrokken koningin Wilhelmina en haar dochter naar Igls. Dit plaatsje lag in Oostenrijk, maar de Olympische Winterspelen werden gehouden in het net aan de andere kant van de grens gelegen Garmisch-Partenkirchen.
Het was bekend dat Juliana dol was op wintersport en dat zij de Olympische Spelen wilde bijwonen is verklaarbaar.
Maar die Spelen moesten bijdragen tot meerdere 'glorie' van de Führer! Een kleine aanwijzing voor toch altijd

▲ *In de vroege ochtend van 8 september 1936 meldde de radio dat prinses Juliana zich verloofd had met prins Bernhard zur Lippe Biesterfeld. Voor de overgrote meerderheid van de Nederlanders kwam het bericht als een volslagen verrassing. In de loop van de dag zou het paar in Den Haag aankomen. Een spoorwegovergang ergens tussen het Gooi, waar de twee vandaan kwamen, en Den Haag was gesloten; een fotograaf kreeg de kans van zijn leven: hij snapte het paar in de auto van de prins. Geen hofauto, geen groot geleide. Het zou een aanwijzing zijn voor de wijze waarop de jonge mensen hun leven wilden leven: zo gewoon mogelijk.*

▶ *Het verloofde paar tijdens hun bruidsdagen bij een voorstelling te hunner ere in de Haagse schouwburg.*

▲ *Op 7 januari 1937 werd het huwelijk tussen de Nederlandse troonopvolgster en prins Bernhard gesloten. Het paar trouwde gewoon op het Haagse stadhuis en reed vervolgens naar de Grote Kerk voor de inzegening.*
Karakteristiek voor de opvattingen van de prinses was, dat zij persoonlijk de kleur had vastgesteld voor de japonnen van haar bruidsmeisjes; ieder droeg een japon in een kleur met een symbolische betekenis. De japon van de prinses zelf was niet erg elegant; haar moeder had er op gestaan, dat die – het was tenslotte januari – geheel gevoerd werd; de mouwen moesten wijd eindigen, want de zeer kostbare armband, geschenk uit Nederlands Oost-Indië, moest goed zichtbaar zijn.

iets van wereldvreemdheid? Zou de prinses de illusie hebben gekoesterd, dat het ideaal van de Olympische Spelen sterker zou blijken dan het nazisme?
Hoe het zij, kort nadat de Nederlandse vorstinnen in Igls waren aangekomen, maakte prins Bernhard van Lippe-Biesterfeld daar zijn opwachting. De Nederlandse gezant in Parijs, die de daar toen werkende prins had ontmoet, had hem dit gesuggereerd. De echte kennismaking van de prinses met de prins kwam toen de jonge mensen samen naar de Olympische Spelen gingen, waar zij zelfs de Führer moesten ontmoeten.

Natuurlijk was tevoren nagegaan hoe het stond met de politieke opvatting van de prins. De conclusie van het onderzoek moet geluid hebben: die is aanvaardbaar. Na deze eerste kennismaking kwam de prins enige malen op bezoek in Nederland en ontmoetten de koningin en haar dochter hem voor een definitieve afweging in het Zwitserse Weissenburg. Toen het zover was, hadden prinses en prins al aanzienlijk veel meer tijd gehad elkaar te leren kennen dan aan haar ouders was vergund geweest. Bij de bekendmaking van de verloving via de radio op 8 september 1936 zou Juliana vertellen, hoe zij het na de kennismaking bij de wintersport 'geleidelijk aan samen eens waren geworden en wel zeer eens'.

'Men' wist van de prins niets af. Op 8 september hoorde men dat hij werkte bij IG-Farben in Parijs en dat hij zo veel presteerde dat hij voor zijn dertigste jaar directeur van de International zou worden. De opmerking van de prins dat hij lang had overwogen wat hij zou kiezen, het directoraat of het huwelijk met de Nederlandse troonopvolgster, werd door de Oranjeklanten als waardeerlijk be-

Een baby liet niet lang op zich wachten. Op 15 juni van het trouwjaar had de prinses via de radio meegedeeld dat zij niet het gehele programma van de officiële ontvangst in Amsterdam had kunnen meemaken 'om op zichzelf verheugende gezondheidsredenen'. De baby kwam toch later dan verwacht. Souvenir-fabrikanten waren bang dat hun collectie waarop al 'januari' stond onbruikbaar zou zijn. Maar het kind kwam nét op 31 januari. Bij de aangifte zei de prins dat hij het kind als eerste naam Beatrix had gegeven, nog voor de namen van haar grootmoeders, maar als het kind ooit de troon zou bestijgen zou het zich Wilhelmina mogen noemen. Het kind is nu koningin, maar niemand heeft aan enige naamsverandering gedacht. Kort na de geboorte toonden de trotse ouders hun kind aan de fotograaf. Deze foto dateert van juli 1938. Beatrix zou geen enig kind blijven. Op 5 augustus 1939 kreeg zij al een zusje en er zouden nog twee meisjes volgen.

schouwd; slechts weinigen moesten er om glimlachen.
Door zijn charme en zijn quasi-ongedwongen optreden had de prins niet alleen stormenderhand het hart van de prinses en haar moeder veroverd, maar nam hij ook de publieke opinie voor zich in.
Juliana had al eerder een stap gezet om haar eventuele man een onafhankelijker positie te verschaffen dan haar vader had gehad. In de grondwet had lang de bepaling gestaan dat het inkomen van de vermoedelijke opvolger van de troon werd verdubbeld bij diens huwelijk; hetzelfde gold voor een troonopvolgster. Plannen tot grondwetswijziging waren voor Juliana aanleiding om verandering van deze paragraaf te entameren: het moest worden dat na het huwelijk van de kroonprinses haar 'gemaal' een gelijk inkomen uit de staatskas krijgt, als zij geniet. De wijziging kwam tot stand en op de dag van het huwelijk – 7 januari 1937 – kreeg de prins de beschikking over een staatsinkomen.
In de maanden voor de verloving zal Bernhard ook de kwestie van een ei-

▲ *Op 19 januari 1943 werd in het ziekenhuis te Ottawa het derde kind van Juliana en Bernhard geboren.*
Margriet werd op 28 juni in Ottawa gedoopt tijdens een Nederlandse kerkdienst; de koopvaardij stond peet. De koningin (niet zichtbaar op de foto) was uit Londen overgekomen en natuurlijk was prins Bernhard er ook.

▲ *In de zomer van 1947 bezocht mevrouw Eleanor Roosevelt ons land; haar man was op 12 april 1945 overleden. Vooral Juliana was tijdens de oorlog zeer bevriend geraakt met de Roosevelts. Franklin D. Roosevelt was zeer trots op zijn Nederlandse afstamming; hij heeft de eed bij zijn ambtsaanvaarding vier maal uitgesproken met zijn hand op de Nederlandse statenvertaling van de bijbel.*

gen werkkring ter sprake hebben gebracht, vermoedelijk met volledige instemming van de prinses en haar moeder. In elk geval zou hij een – uiteraard zeer hoge – functie krijgen bij alle drie de onderdelen van de krijgsmacht en dat niet 'à la suite', zoals prins Hendrik, maar reëel. De koningin moet beseft hebben dat dit consequenties kon hebben, als Hitler een oorlog zou ontketenen. Zij en het kabinet hebben die aanvaard.
Welke civiele functie hij zou kunnen gaan bekleden, werd niet direct vastgesteld. Het lag voor de hand, gezien Bernhards opleiding, dat die in de sfeer van handel en bedrijf zou liggen. Meteen werd afgesproken dat Bernhard zich direct na de verloving op vele gebieden van het Nederlandse economische leven zou gaan oriënteren. Kort na de verloving opperde dr. J. Eykman, de motor achter het werk van de AMVJ (Amsterdamse Maatschappij Voor Jongemannen) de gedachte: 'Wij moeten hem uit hofkringen halen. Hij moet het volk leren kennen en niet alleen hovelingen'. Bij dr. Eykman was het opperen van een idee vaak hetzelfde als de uitvoering ervan. Hij stelde een plan op om in de AMVJ, hartje Amsterdam, een reeks besprekingen te houden met mensen van zeer verschillende herkomst: werknemers in ondernemingen en vakbonden, vertegenwoordigers van kerkelijke en politieke groeperingen – van ds. Kersten van de Staatkundig Gereformeerde Partij tot Ko Beuzemaker van de communisten – maatschappelijk werkers en jongeren. Het plan kreeg de instemming van zowel prinses als prins. Misschien heeft Juliana met nog meer enthousiasme deelgenomen aan de besprekingen, die tot in 1940 zijn voortgezet.

Koningin Juliana en prins Bernhard hebben meer dan eens met nadruk verklaard dat hun dochters vrij zouden zijn in de keuze van een man; op rang en stand zou niet worden gelet, alleen op de bereidheid hard te werken.

◀ *Op 28 juni 1965 maakte koningin Juliana formeel de verloving bekend van haar oudste dochter Beatrix met de Duitse diplomaat Claus von Amsberg. Juliana bezwoer de luisteraars dat zij en Bernhard als ouders echt het vertrouwen hadden dat de verbintenis van deze twee mensen in alle opzichten gelukkig zou zijn. 'Ik kan u verzekeren: het is goed.' Veel Nederlanders waren toen zo kritisch dat zij zeiden of dachten: wij zullen zelf wel zien of het goed wordt. Het rumoer na een clandestien genomen foto van de troonopvolgster met een toen nog onbekende man, begin mei in de tuin van Drakensteyn, was nog allerminst verstomd. De onbekende man bleek een Duitser te zijn en nog wel een die helemaal tegen het einde van de oorlog onder de wapenen was geweest, net zoals zeer velen van zijn leeftijdgenoten overigens. Ruim twintig jaar later bekenden zelfs de felste opposanten dat zij zich in Claus en dus ook een beetje in Beatrix, vergist hadden.*

Zij en de prinsessen hebben het geweten. Prinses Beatrix was niet de eerste van de vier die een man koos. Maar ook haar keus heeft in die dagen heel veel rumoer veroorzaakt.
Het begon ermee dat een persfotograaf in de eerste dagen van mei 1965 Beatrix met een man betrapte. Het tweetal heeft ongetwijfeld geen in Engelse hofkringen gebruikelijke woorden (de man sprak nog niet voldoende Nederlands om gesprekken in die taal te voeren) gesproken, toen zij tijdens een wandeling in de tuin van Drakensteyn van buiten het hek de klik hoorden van een fototoestel en merkten, dat zij waren 'geschoten'.
De persfotograaf had foto's van het gearmde paar. Het kon niet anders of er was iets tussen hen! Maar wie was de man? Geen journalist die het wist. De fotograaf bood de foto's aan de Londense *Daily Express* (die na Beatrix' geboorte ook als eerste een foto van de baby publiceerde) en *De Telegraaf* aan. Na intens overleg besloten de twee kranten de foto's niet te publiceren. Maar toen verscheen er op 5 mei een communiqué van koningin en prins, waarin bijna werd gesmeekt Beatrix de tijd te gunnen om een weloverwogen beslissing te nemen over een huwelijk. De foto's werden gepubliceerd, nog zonder de naam van de man. Maar als de wereldpers een foto van iemand heeft, kost het haar zelden veel tijd om de identiteit van de afgebeelde te ontdekken. De met Beatrix gearmde man – op een ander konden de koninklijke ouders toch niet hebben gezinspeeld! – bleek een in Bonn werkende Duitse diplomaat te zijn met de naam Claus von Amsberg. De boot was aan!
Nederland had net de oorlog herdacht en er was pas een boek verschenen van professor dr. J. Presser *Ondergang - Vervolging en verdelging van het Nederlandse jodendom.* Dit boek verwekte bij nogal wat Nederlanders gevoelens van grote schaamte over de weinige pogingen die zij gedaan hadden om de joden uit de klauwen van Hitler te redden. Het waren ook de dagen van nozems en provo's, die nu iets belangrijks hadden om te-

▶ *Het prinselijk paar komt de Westerkerk in Amsterdam binnen, waar het huwelijk zal worden ingezegend onder leiding van de predikanten Sillevis Smitt, oud vlootpredikant en bevriend met de koninklijke familie, en ds. Kater, bij wie Beatrix belijdenis had gedaan.*

▲ *Beatrix was de eerste Nederlandse prinses die in Amsterdam trouwde; haar grootmoeder had de kinderen veel verteld over het Amsterdamse verzet in de oorlog. Haar voornemen werd niet door iedereen gewaardeerd. Het was de tijd van provo's en andere groeperingen die zich tegen de gevestigde orde verzetten. De prinses en Claus von Amsberg hadden zich bereid getoond elders te trouwen, maar minister-president Cals weigerde te zwichten voor dreigementen.*
Op de rit van de Dam naar het stadhuis was er nog niets gebeurd, maar toen de tocht werd voortgezet naar de Westerkerk werd er een rookbom gegooid naar de gouden koets met het jonge paar. Hij richtte nauwelijks schade aan. Op de foto ziet men de burgerlijke huwelijksvoltrekking.

◀ *Burgemeester mr. G. van Hall ontvangt koningin Juliana op 10 maart 1966 als zij bij het Amsterdamse stadhuis aankomt voor de voltrekking van het huwelijk van Beatrix en Claus.*
Op 9 mei 1967 zou de heer Van Hall als burgemeester 'eervol' worden ontslagen op grond van het rapport van een commissie die een onderzoek had ingesteld naar alle rellen die in 1966 in de stad hadden plaatsgevonden. De reactie van de steeds zorgvuldig sprekende loco-burgemeester dr. P.J. Koets daarop was: 'Ik voel me grotelijks belazerd.' Veel Amsterdammers zeiden het hem na.

◀ *Op 27 april 1967 kreeg het kroonprinselijke paar zijn eerste kind; het werd met de keizersnede ter wereld gebracht in het Utrechtse Academische Ziekenhuis. Dit maal was het geen lid van de hofhouding die een plechtige aankondiging bracht, maar de mededeling van de directeur van de Rijks Voorlichtingsdienst Van der Wiel, die naar buiten kwam en zei: ' 't is een jongen!' Er kwam onmiddellijk een foto van de baby en enige tijd later toonden de ouders hun al meer 'mens' geworden eersteling Willem Alexander. Prins Claus houdt het kind vast in een heel bijzondere greep. Op de achtergrond het toenmalige huis van het gezin, Drakensteyn.*

gen te protesteren. Toen ook nog bleek dat Claus net voor het einde van de oorlog in Duitse dienst was geweest – de Wehrmacht, maar 'men' zei onmiddellijk bij de SS – was de boot helemaal aan. Iemand die voor Hitler had gevochten als man van de kroonprinses! Iemand die behoorde tot een volk dat de Nederlanders zo in de luren had weten te leggen dat zij nauwelijks in verzet waren gekomen en zich alles hadden laten welgevallen, zeiden de provo's die het boek van Presser ook hadden gelezen. Daarbij kwam nog iets: de pers, die aanvankelijk alle gelegenheid had gegeven aan tegenstanders van de verloving om hun grieven te uiten, stelde zich op instigatie van Juliana na de officiële bekendmaking van de verloving door de koningin op 28 juni, veel kalmer op. Deze terughoudendheid viel bij een aantal intellectuelen behoorlijk fout: de pers was gemuilkorfd door de nazi's, liet ze zich nu weer het zwijgen opleggen?

Het feit dat o.a. *In de waagschaal*, het orgaan van Barthiaanse predikanten, en het vrouwenblad *De Vrouw en haar huis* erop wezen dat ook predikanten van de principieel anti-nazi *Bekennende Kirche* hun kinderen naar de Hitler-Jugend en in dienst hadden laten gaan, maakte geen indruk op provo's en andere protesterenden. De protesten barstten in alle hevigheid opnieuw los, toen bekend werd dat het huwelijk in Amsterdam zou worden gesloten, een gotspe, net in Mokum, dat nagenoeg alle joden had verloren.

Dat Beatrix in Amsterdam wilde trouwen was begrijpelijk voor wie iets van geschiedenis wist. Voor de februaristaking van 1941 had koningin Wilhelmina diep respect en zij had haar kleinkinderen verteld hoe moedig Amsterdam zich gedragen had, 'toen 't volk, dreiging en dood ten spijt, terwille der gerechtigheid opstond voor het volk dat onderlag'. (Geuzenlied van Sem Davids). De prinses had zich er geen rekenschap van gegeven dat haar trouwen in Amsterdam met een Duitser, voor de weinig overgebleven joden pijnlijk kon zijn.

Burgemeester mr. G. van Hall orga-

▶ *Bijna een eeuw lang was de omvang van het koninklijk huis zeer beperkt gebleven. Wilhelmina was enig kind, evenals Juliana. Maar het werd anders: Juliana kreeg vier dochters, van wie Beatrix en Margriet opvolgings-gerechtigd waren; Irene en Christina trouwden zonder toestemming van het parlement. Beatrix kreeg drie zoons, Margriet vier. En net in die tijd verdween uit de grondwet de bepaling dat bij de opvolging jongens de voorkeur hadden boven meisjes!*
Deze foto is 19 juli 1975 genomen in het koninklijk zomerverblijf in Porto Ercole; op schoot bij Claus zit Carlos, de zoon van Irene.

niseerde op 31 oktober in de ambtswoning een gesprek van het verloofde paar met vertegenwoordigers van de joodse geloofsgenootschappen. Beatrix en Claus erkenden, dat zij beter elders konden trouwen: na afloop zei de prinses: 'Dan trouwen wij in Baarn, waar ik al zo lang woon.'

Natuurlijk had de koninklijke familie zich er voor de bekendmaking van de verloving van vergewist dat het kabinet, en dus het parlement, zijn toestemming niet zou onthouden. In de gesprekken met minister-president Cals was ook afgesproken dat het huwelijk in Amsterdam zou plaatsvinden. De heer Cals weigerde nu zich bij de mededeling van het verloofde paar neer te leggen; hij wenste zich niet te onderwerpen aan wat sommigen noemden 'de terreur van de provo's'.
De Tweede Kamer behandelde op 10 november 1965 het wetsontwerp tot toestemming voor het huwelijk. Wat nooit eerder gebeurd was: er werd negen uur lang over gedebatteerd. Pas laat in de avond nam de Kamer het ontwerp aan met 132 tegen 9 stemmen.
Tot de huwelijksdag duurden acties van provo's voort en op 10 maart 1966 waren alle autoriteiten tot het uiterste toe gespannen; de provo's hadden actie aangekondigd. Tijdens de rit van het stadhuis naar de Westerkerk (de Nieuwe Kerk was wegens restauratie niet beschikbaar) werd het rumoerig. Op de Westermarkt werd een rookbom gegooid naar de gouden koets met het bruidspaar. De koetsiers hielden de paarden in bedwang en er gebeurde verder niets. Koningin Juliana had het hele voorval gewoon niet gezien, omdat zij dit niet wilde, pas banden van de televisie en foto's overtuigden haar.

Jaren later zou Claus, die nu prins was geworden, zeggen dat 11 maart 1966 voor hem en zijn vrouw een heel wat leukere dag was geweest dan de tiende. Hij kon op de trouwdag nog niet weten, dat een van de gangmakers van alle verzet, Roel van Duyn, zich een dikke twintig jaar later zou opwerpen als verdediger van de monarchie!

5. De kooi gaat open: Nederland kijkt naar binnen

Wilhelmina schrijft in *Eenzaam maar niet alleen* herhaaldelijk over 'de kooi' waarin degenen die de sfeer van die kooi wilden handhaven haar opsloten. Deze mensen gaven alleen 'de berichten door, waarvan zij meenden dat wij ze moesten kennen. De andere, hoe belangrijk ook, werden ons onthouden'.
De prinses uit dan de niet onbelangrijke beschuldiging: 'Achter dit alles zat de wens om ons te isoleren van wat er werkelijk in het volk omging, een geest van afweren en gedurig afstand scheppen. Dat was voor mij onaanvaardbaar.' Koningin Emma had van zo'n kooi minder last gehad; zij bezat de gave zich gemakkelijk te bewegen in alle kringen, waar zij kwam, maar zij handhaafde daarbij een 'ongedwongen gereserveerdheid' (zo formuleerde dr. N. Japikse het). De kooi zal Wilhelmina steeds meer gaan benauwen, vooral na de komst van de radio. Kranten en tijdschriften kon men voor haar knippen en haar slechts datgene geven, wat men gewenst achtte (wie de schuldigen waren laat Wilhelmina in het midden!). De knoppen van de radio kon de ko-

▲ *In juni 1892 nam de regentes haar dochtertje mee naar Friesland. In Leeuwarden brachten zij o.a. een bezoek aan Werkmanslust, een in 1872 opgerichte stichting die ten doel had 'om aan de werkman een gezonde, doeltreffende woning te verschaffen'.*
Later zou Wilhelmina zich fel keren tegen de hofhouding, die haar altijd verre had gehouden van 'gewone mensen'. Bij Werkmanslust ontmoet de koningin dan ook geen werklieden; zij wordt ontvangen door keurige bestuursleden met jacquet en hoge hoed.

ningin zelf bedienen... Maar nog in de rumoerige dagen rond de verloving van Irene belde prins Bernhard de hoofdredacties van de kranten op of zij ervoor konden zorgen dat hij complete nummers kreeg.

Natuurlijk ging de koningin bij een bezoek aan een rampgebied bij iedereen naar binnen, maar dat was het toch ook niet.

Veel later zou zij inzien, dat zij zelf niet zo was opgevoed, dat zij gemakkelijk contacten maakte.

Maar die kooi had toch ook zijn voordelen; de onderdanen kregen ook alleen maar te horen, hetgeen koningin en overheden bekend gemaakt wilden hebben. Heel lang hoorde men over het Koninklijk Huis uitsluitend datgene, wat de 'instanties' toelaatbaar achtten. Toen ook de serieuze pers scherp in de kooi ging kijken en openbaarde, wat zij daar gewaar werd, kwamen zaken aan het licht, die tot dan toe door ingewijden met de mantel van de diplomatie bedekt waren gebleven.

▲ *Greet Hofmans, de vrouw die geloofde dat zij van God het vermogen had gekregen mensen door gebed te genezen, wordt belaagd door journalisten en fotografen. Greet Hofmans werd door Juliana te hulp geroepen in verband met de oogafwijking van haar jongste dochter.*

Het zou tot 1956 duren, eer ruchtbaar werd dat er *rumor in casa* op Soestdijk was. Het was zo simpel begonnen: in 1946 was prinses Juliana, ondanks een waarschuwing van haar gynaecoloog, Nederlanders die uit Indië kwamen aan boord van hun schip gaan begroeten. Daar had zij rode hond opgelopen; het kind dat op 18 februari 1947 werd geboren, bleek een ernstig gestoord gezichtsvermogen te hebben als gevolg van de rode hond.

Op een dag kwam Bernhard thuis met het verhaal over de genezing van een kleinkind van vrienden. Dit kind had tbc en genas in haar ouderlijk huis in Den Haag helemaal niet. Een gebedsgenezeres, Greet Hofmans, had de grootouders gezegd dat zij het kind naar de Veluwe moesten halen. Dan zou Greet, een Amsterdamse die volgens haar eigen overtuiging enkele jaren tevoren deze gave van God had gekregen, het kind door gebed genezen. En dat was gebeurd. Wat was logischer dan dat Juliana de hulp van deze vrouw voor haar jongste kind wilde inroepen?

Een zekere affiniteit met mystiek en een groot Godsvertrouwen zijn Juliana altijd eigen geweest. Greet Hofmans kwam; zij zou er door haar gebed voor zorgen dat Marijkes ogen in orde zouden komen, maar dan moesten beide ouders in haar kracht geloven. Juliana wilde dit maar al te graag, want de artsen hadden haar verzekerd dat zij na verschillende operaties niets meer konden doen voor de verbetering van Marijkes gezichtsvermogen.

Greet had de sterke persoonlijkheid van een maatschappelijk werkster en zij was het middelpunt van een kring die men toen 'de derde weg' noemde, een groep die een tussenstandpunt innam tussen de opvattingen van de Verenigde Staten (met de Nederlandse regering) en de Sovjet-Unie. De kring wilde dat Greet alles in het werk stelde om Juliana geheel aan hun kant te krijgen. Juliana was zeer vredelievend en dus kostte het Greet en haar kring niet al te veel inspanning de intussen koningin geworden Juliana aan te moedigen te pleiten voor de vrede. Redevoeringen, die Juliana in 1952 tijdens een staatsbezoek aan de Verenigde Staten hield, kwamen uiteraard voor rekening van het kabinet en wel voor die van de minister van Buitenlandse Zaken mr. Stikker. Er zijn aanwijzingen dat de heer Stikker de oorspronkelijke teksten niet heeft aanvaard, maar hetgeen de koningin uitsprak deed een aantal fel pro-NAVO zijnde Nederlanders de wenkbrauwen toch fronsen. Maar Greet en haar achterban bleven Juliana beïnvloeden.

Intussen had Greet geprobeerd ook het volle vertrouwen van Bernhard te krijgen. Zij vroeg hem haar drie haren te geven uit de staart van drie paarden, dan zou God haar instrueren hoe hij die paarden moest laten verzorgen, opdat zij de Olympische

▲ *Juist in de dagen van de grootste spanning, veroorzaakt door de Hofmans-affaire, hield Beatrix als achttienjarige op 30 juni 1956 haar 'blijde inkomste' in Amsterdam. De ontvangst begon in het Stedelijk Museum. Daar zagen velen tot hun verbazing prinses Wilhelmina zitten. Zij placht dergelijke gebeurtenissen niet bij te wonen, maar nu was zij gekomen en had zich de trappen laten opdragen om Bernhard en Juliana alleen met haar blik ertoe te brengen zich als echtpaar en ouders te gedragen. In de zaal heerste een spanning die te snijden was, maar de oude koningin beheerste de situatie volledig. Voor Beatrix moet de bijeenkomst met jongeren in de ambstwoning van de burgemeester, later die dag, aanzienlijk plezieriger zijn geweest.*

Spelen zouden winnen. Bernhard wees dit voorstel van de hand; volgens Greet Hofmans was zijn afwijzende houding er de oorzaak van dat haar gebed geen enkele invloed had op Marijkes gezichtsvermogen.
Tot zover had het conflict, want dat was het wel geworden, zich in besloten kring afgespeeld; de regering wist uiteraard het nodige af van het doen en laten van Greet Hofmans, maar zweeg erover. De spanning nam met de jaren toe en in april 1956 achtte Bernhard het nodig dat 'de zaak' – waarbij uiteraard Marijkes gezichtsvermogen nauwelijks meer een rol speelde – bekend werd. Op zondag 29 april lunchte Sefton Delmer, *roving editor* van de Londense *Daily Express*, die Bernhard nog uit zijn Parijse jaren kende, op Soestdijk.
Na de lunch vertelde Bernhard aan Delmer wat er aan de hand was. De bedoeling was duidelijk: Delmer moest in zijn krant publiceren. Delmer schakelde uiteraard de Nederlandse correspondenten van de *Express* in, die, na afweging van hun loyaliteiten, besloten de regering in te lichten. Het gevolg was dat de *Daily Express* Delmers verhaal niet publiceerde, maar op 6 juni kondigde het Duitse weekblad *Der Spiegel* aan dat er in hun volgend nummer hierover een artikel zou verschijnen. Het kon niet slechter: op 13 juni waren er algemene verkiezingen. Een sensationeel artikel over de koninklijke familie kon op de uitslag van die verkiezingen sterke invloed hebben. De re-

gering overreedde de importeur *Der Spiegel* niet te verspreiden, maar het baatte uiteraard heel weinig. Vele buitenlandse kranten haakten erop-in en heel snel wist heel Nederland, dat er *Geheimnisse im Haus Oranien* waren. De eerste reactie van de Nederlandse pers was er een van verontwaardiging, maar diezelfde pers drukte wel lange stukken uit buitenlandse kranten af. Er kwamen natuurlijk speculaties: koningin Juliana zou worden afgezet omdat zij geestelijk gestoord was. Volgens buitenlandse bladen zou Beatrix haar opvolgen onder regentschap van haar vader. Het kostte de Nederlandse pers niet veel moeite de laatste bewering te ontzenuwen. Een regent voor de 18-jarige Beatrix was niet nodig. De minister-president dr. Willem Drees, die voor de mystiek in het Koninklijk Huis geen enkele feeling had, probeerde alles te bagatelliseren: er was geen sprake van aftreden van de koningin, er was evenmin sprake van een echtscheiding en er was geen conflict tussen het kabinet en de koningin. Hij ontkende ook categorisch dat de koningin enige redevoering had gehouden die niet door het kabinet of althans door ministers was gefiatteerd. Het bleek toch iets ingewikkelder te zijn, want op 28 juni maakten koningin en prins bekend dat zij een commissie van drie (hét middel in Nederland om crises op te lossen) hadden ingesteld.

De toelichting luidde: 'De wijze waarop men in den vreemde het toelaatbaar heeft geoordeeld in het openbaar ons gezinsleven en de verhoudingen in onze naaste omgeving te belichten, heeft ons beiden teleurgesteld en gegriefd. Wij achten een onderzoek naar de omstandigheden, die hiertoe hebben geleid, gewenst'. Professor dr. L.J.M. Beel, vice-president van de Raad van State, professor mr. P.S. Gerbrandy, minister-president in de oorlogsjaren en jhr. mr. A.W.L. Tjarda van Starkenborgh Stachouwer, oud gouverneur-generaal van Nederlands-Indië, voerden vele gesprekken met zeer vele mensen. Ruim een maand later gaf de Rijks-

Besluit reeds vorige zomer genom

Prinses Irene katholiek geworden

29-1-64

KONINGIN EN PRINS ACHTER KEUZE

Verzwegen

DEN HAAG, woensdag (ANP). — Het particulier secre-

PLAN OM FLAT TE KOPEN

Prinses Irene wil zich in Spanje vestigen

Volkskrant 1/2/64

(Van onze correspondent)

DEN HAAG, 1 febr. — Prinses Irene heeft plannen om in Madrid een flat te kopen. Dit meldt de correspondent van de Volkskrant in Spanje. Eerder deze week verluidde in Den Haag reeds dat de Prinses had besloten zich in Spanje te vestigen. Zij zou speciale belangstelling koesteren voor de kinderbescherming. Enige tijd geleden kwam die voorkeur tot uiting. Zij bezocht — in Nederland — een aantal instituten om zich nader te oriënteren. Een ervan was het jeugddorp Bethanië van de dominicanessen van Bethanië in het Limburgse Horn.

Vandaag ontmoeting met ouders in Innsbruck

Volgens gezaghebbende kringen zal prinses Irene vandaag van Madrid naar Innsbruck vliegen om zich bij haar ouders en zusters te voegen voor het bijwonen van de Olympische Winterspelen. Verwacht werd dat de Prinses incognito zou reizen. De Oostenrijkse politie heeft in samenwerking met rechercheurs van de hofbewaking ver strekkende maatregelen genomen voor de bescherming van de koninklijke familie. De regerings-Friendship met de Koningin en de prinsessen Beatrix en Margriet zal vanmiddag om één uur van Soesterberg vertrekken. Prins Bernhard gaat rechtstreeks uit Sankt Moritz naar Innsbruck.

De Prins, die gisterenmiddag in het particuliere chalet Lerchen Hof aan de telefoon kwam, antwoordde op het noemen van onze naam: „De Prins is niet aanwezig, goedenmiddag".

De Nederlandse ambassade in Madrid bleek donderdag al opdracht te hebben gekregen zich volstrekt te onthouden van elke mededeling over prinses Irene en haar activiteiten. De 24-jarige zoon Jan van de Nederlandse ambassadeur in Madrid, jhr mr Van Panhuys, is genoemd als huwelijkskandidaat voor de Prinses. De ambassadeur zelf is protestant, zijn zoon is katholiek. Student in de rechten Jan van Panhuys vertelde ons gisteravond in Utrecht: „De geruchten over mij zijn volstrekt ongegrond. Ik ken de Prinses vagelijk. Ik wist helemaal niets over haar plannen om katholiek te worden."

In Saragossa

Prinses Irene heeft vrijdag tijdens een onverwacht bezoek aan Saragossa, de hoofdstad van Aragon, een mis bijgewoond in de kathedraal. De mis werd opgedragen door mgr Casimiro Morcillo, de aartsbisschop van Saragossa. De Prinses werd bij het bezoek aan de kathedraal vergezeld door een vriendin. De Prinses zette na de mis haar handtekening in het Gouden Boek van de kerk.

Prinses Irene heeft op de eerste zondag van de Advent in de doopsgezinde kerk te Baarn aan het avondmaal deelgenomen. Dat deelde ds Valenton vrijdagavond mee. Voor kringen die de prinses goed kennen, is haar deelneming aan het avondmaal, terwijl zij toch al had besloten tot de katholieke kerk toe te treden, heel verklaarbaar. Men wijst erop dat de prinses zeer brede oecumenische beginselen is toegedaan. „Het aanvaarden van het katholieke geloof betekent voor haar niet het verwerpen van andere uitingen van christelijk geloofsleven", zegt men in die kringen.

Prinses Beatrix heeft haar verjaardag gisteren op het kasteeltje Drakesteyn gevierd. 's-Morgens kreeg zij bezoek van haar grootmoeder, prinses Armgard en van prinses Margriet. Omstreeks het middaguur arriveerde koningin Juliana. Een verschrijving in de Volkskrant van vrijdag wekte de indruk dat de Koningin niet op het feest zou zijn.

Tijdens de speciale kabinetsvergadering in de nacht van donderdag op vrijdag en in die van gisteren, is het recente nieuws over prinses Irene slechts terloops aan de orde geweest. De vergaderingen waren uitsluitend belegd voor de discussies over de loon- en prijsontwikkelingen. Geruchten als zou vooral de rol van de ambassadeur in Madrid, jhr mr Van Panhuys, onderwerp van bespreking zijn geweest, worden volstrekt ongegrond genoemd. Aangenomen wordt dat vice-premier mr Biesheuvel, bij zijn voorbereidend overleg met minister-president Marijnen, vrijdagmorgen vóór de kabinetsvergadering, mededeling heeft gedaan over de wijze waarop en de inhoud van het bekend worden van het nieuws over de toetreding van prinses Irene tot de katholieke kerk.

1-2-64

Volkskrant 1/2/64

De datum

HET rumoer rond de overgang van prinses Irene tot het katholieke geloof is nog niet verstomd. De kritiek bepaalt zich voornamelijk tot het feit, dat voor regering en volk iets is verzwegen, dat niet verzwegen behoorde te worden. Men gaat er van uit, dat prinses Irene al vorig jaar zomer het besluit heeft genomen om katholiek te worden.

Men kan zich voorstellen, dat aan de overgang tot het katholieke geloof, of welke geloofsrichting dan ook, een rijpingsproces vooraf gaat. Zij die aan de Utrechtse universiteit prinses Irene van nabij hebben kunnen volgen, hebben al opgemerkt dat zij in het bijzonder openstond voor het oecumenisch denken van deze tijd. Haar ouders hebben haar de vrijheid gegund van een persoonlijke oordeelsvorming en de eventuele consequenties die deze kon hebben. Prinses Irene heeft toen voor zichzelf een principiële, maar ook zeer persoonlijke beslissing genomen.

Is er al die tijd iets verzwegen voor het Nederlandse volk?

Welneen. Het enige feit, waarvan regering en volk op de hoogte behoorden te worden gebracht was, dat van de feitelijke overgang van de Prinses naar het katholieke geloof: haar geloofsbelijdenis. Kan het

AANSPRAKEN OP NEDER
ANDSE TROON' OPGEGE
VEN DOOR DE PRINSES

Kamer gaat ren over ing Irene

S STAAT
CHTEN

ss Irene ry Prince Hugo

MADRID, February 8

etherlands is to marry Prince Carlos Hugo of
avier, Carlist Pretender to the Spanish Throne.
ement today to the director of the Spanish News
hough the formal announcement of the engage-
h Royal Family.

airport, where they left
hich Prince Bernhard,
own to the Spanish
gue. Princess Cecilia,
with the Royal party.
a week of speculation
e.

kissed his daughter and
they met at the airport.
Carlos Hugo of Bourbon,
as Carlos. He is 33 and
ncess Irene, aged 24 and
Dutch throne, is a god-
een Mother.

depend on conversations
statement by the couple
een friends "for a good
ntly, but our understand
y."

Don Carlos zou naar Franco gaan

DEN HAAG/MADRID, dinsdag (ANP, AP). — Don Carlos, van wie was aangekondigd dat hij pas morgen zou vertrekken, is vanmiddag met zijn ouders en zusters naar Parijs vertrokken. Volgens Carlistische kringen in Madrid zou hij doorreizen naar de Spaanse hoofdstad om daar morgen op audiëntie te gaan bij generaal Franco.

Prins Bernhard vloog de verloofde van prinses Irene en zijn familie in een Friendship van Ypenburg naar de Franse hoofdstad.

Volgens de Madrileense Carlisten zou het gesprek tussen don Carlos en de caudillo „misschien meer over de Spaanse politiek dan over het aanstaande huwelijk met prinses Irene" gaan.

Krachtens de wet op de troonopvolging in Spanje mag generaal Franco besluiten de monarchie te herstellen en elke daarvoor in aanmerking komende prins — mits hij katholiek is en ouder dan dertig jaar — uitnodigen de troon te bestijgen. Don Carlos wordt in april 34 jaar. De andere Spaanse prins met aanspraken op de Spaanse troon, Juan Carlos van Bourbon-Bourbon, is net 26 jaar geworden.

NTS hedenavond met reportage uit Tweede Kamer

DEN HAAG, dinsdag (ANP). —

▲ *Irene en Karel Hugo van Bourbon Parma trouwen 29 april 1964 in Rome, in de Borghese kapel van de Basiliek Santa Maria Maggiore.*

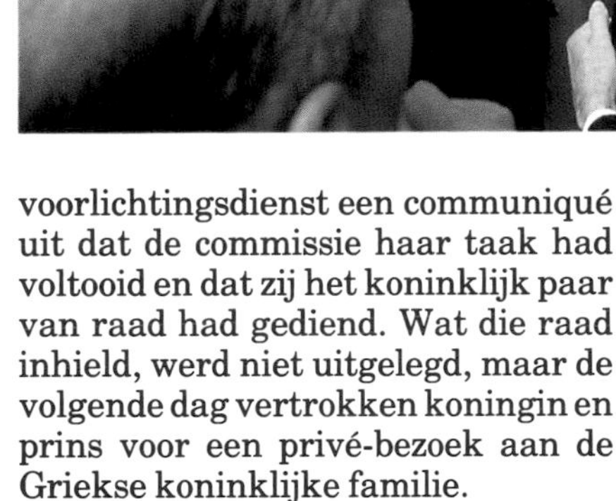

voorlichtingsdienst een communiqué uit dat de commissie haar taak had voltooid en dat zij het koninklijk paar van raad had gediend. Wat die raad inhield, werd niet uitgelegd, maar de volgende dag vertrokken koningin en prins voor een privé-bezoek aan de Griekse koninklijke familie.
Bekend werd alleen dat de koningin haar relaties met Greet Hofmans had verbroken. Later zou het ontslag volgen van enkele hoffunctionarissen die de partij van de koningin hadden gekozen.
De mens Juliana had gemeend haar idealisme te moeten uitdragen, de koningin had zich moeten buigen voor de eisen van een parlementaire democratie. Juliana had dus verloren, is men geneigd te zeggen, maar het tegendeel bleek het geval: de wijze waarop zij de huwelijks- en gezinsband heeft weten te herstellen maakte haar degene van wie men kan zeggen dat zij in deze crisis de enige was die stond voor hetgeen zij zei en deed.

Hetzelfde kan gezegd worden van een volgende 'affaire' in de koninklijke familie. Deze werd veroorzaakt door prinses Irene.
In januari 1964 verscheen er in de kranten een in een Madrileense kerk genomen foto, waarop twee jonge vrouwen de heilige communie ontvangen. Eén van de twee was Irene. Nadat zij geslaagd was voor haar tolk-examen Spaans hadden haar ouders haar een reis naar Spanje aangeboden. Het overgaan van de prinses tot het rooms-katholicisme verwekte in die dagen in Nederland heel wat opwinding. Prins Bernhard, die het uiteraard iets eerder geweten had dan 'iedereen' constateerde dat het

▲ *'De nacht van Irene'. Op zaterdag 8 februari 1964, na een veelbewogen week rond de verloving van Irene, had Bernhard zijn dochter en de man van wie in Spanje was meegedeeld dat hij haar verloofde was, Karel Hugo van Bourbon Parma, in Spanje opgehaald. Moeilijker dan de vliegtocht was de autorit door Baarn naar het paleis, want daar waren honderden mensen naar toe gekomen die nu die geheimzinnige verloofde wel eens wilden zien. De koningin had hen op het vliegveld afgehaald.*

feit dat een Oranje-prinses katholiek was geworden moeilijk te verkopen zou zijn, maar dat dit in Spanje was geschied, zou helemaal niet aanvaard worden! De prins nam contact op met kardinaal Alfrink en die verklaarde zich na overleg met Rome bereid de plechtigheid nog eens te herhalen; er zou in Madrid een vormfout gemaakt zijn.
Het werd al spoedig duidelijk dat Irenes 'bekering' verband hield met een mogelijke verloving. De reactie was: als zij nu tegelijk haar verloving met een rooms-katholieke man had aangekondigd en haar overgang naar die Kerk, zou er helemaal niets aan de hand zijn geweest. Er was echter voor Nederland wel degelijk iets aan de hand toen bleek wie de man was: Carlos Hugo van Bourbon Parma, van wie al heel snel bekend werd dat hij de leider was van de carlisten, een groep die nog dictatorialer was dan de in Spanje aan het bewind zijnde Franco, en die don Carlos op de troon wilde hebben. Ook degenen die meenden dat Irene haar aanstaande man in vrijheid mocht kiezen, erkenden dat een huwelijk met deze man alleen mogelijk was als zij afstand deed van haar rechten op de Nederlandse troon. En dat was niet de bedoeling van de carlisten. Na dagen van tegenstrijdige geruchten kwamen koningin Juliana en prins Bernhard terug van wintervakantie: Irene was zoek! Haar natuurlijk ongeruste ouders wilden haar zoeken, maar de koningin van Nederland kon niet zo maar naar Franco-Spanje gaan. Terug op Soestdijk volgde de ene bespreking van de koningin met vier leden van de ministerraad op de andere.
Zaterdag 8 februari vliegt prins Bernhard naar Spanje; na lang wachten arriveren Irene en don Carlos bij het vliegtuig, maar niet dan nadat de carlisten enige malen de verloving van het tweetal bekend hebben gemaakt. Grote lijnen van de gang van zaken zijn natuurlijk algemeen bekend in Nederland; honderden mensen gaan naar Soestdijk en zijn er getuige van dat Irene en Carlos met koningin en prins op Soestdijk aankomen. Ieder verwacht een snelle aankondiging van een verloving, maar het duurt uren en uren voor er iets gebeurt. Irene en Carlos staan erop dat zij haar rechten op de Nederlandse troon behoudt; de ministers houden even nadrukkelijk vol dat dit onmogelijk is.
Bij deze discussie staat koningin Juliana volledig aan staatse kant. Buiten werd, zo luidde het, de Tachtigjarige Oorlog met één nacht verlengd. Om drie uur in de nacht leest een nieuwslezer via de radio een mededeling voor waarin Irene haar verloving aankondigt en ook dat zij geen

▲ *Op 10 februari 1964 is de voltallige Nederlandse koninklijke familie op Schiphol om de moeder van Karel Hugo af te halen; op de foto het verloofde paar en de ouders.*

toestemming voor haar huwelijk zal vragen aan het parlement. Desondanks blijft het nog tot 29 april, de dag waarop het huwelijk in Rome wordt gesloten, rumoerig en verward; Irene en de Bourbon Parma's halen de ene na de andere vreemde streek uit. Pas in mei wordt het weer stil rond Soestdijk. Jaren later strandt het huwelijk en keert Irene met haar kinderen terug naar Nederland, waar zij mevrouw van Lippe-Biesterfeld wil worden genoemd.
Als in hetzelfde jaar de koningin de verloving van haar derde dochter Margriet aankondigt met de Nederlandse burger mr. P. van Vollenhoven, is zeker niet iedereen gelukkig, maar men aanvaardt deze verloving toch met een zekere opluchting.

Het zal meer dan tien jaar rustig blijven rond Soestdijk, maar dan wordt Nederland opgeschrikt door de Lockheed-affaire. Prins Bernhard wordt ervan beticht steekpenningen te hebben aangenomen van de Amerikaanse vliegtuigbouwers. Opnieuw ontstaat er rumoer en wordt er een commissie van drie wijze mannen ingesteld, de Commissie-Donner. Die commissie komt tot de conclusie dat de beschuldiging juist is; eind augustus 1976 overhandigt de minister-president dr. J.M. den Uyl hun rapport aan de Tweede Kamer. Hij maakt bekend dat de prins zich aan onoorbare handelingen heeft schuldig gemaakt; het rapport laat er geen twijfel over bestaan. In de minister-

Nagenoeg alle Kamerleden zijn aanwezig als minister-president Den Uyl het rapport over prins Bernhard en de Lockheed-affaire aan het parlement aanbiedt (augustus 1976). De minister-president deelde mee dat de prins al zijn militaire functies had neergelegd. Koningin Juliana kende toen natuurlijk de inhoud van het rapport en de gevolgen van de zaak al; kennelijk heeft zij de uitzending van de zitting van de Tweede Kamer via de televisie gevolgd. Vlak daarna nam een fotograaf een foto van haar toen zij heel eenzaam voor paleis Soestdijk liep.

raad is waarschijnlijk de kwestie van het ontslag van de prins uit zijn militaire functies, eervol of oneervol, ter sprake gekomen, maar het kabinet brengt de prins ertoe zélf die functies neer te leggen. In hoeverre de koningin heeft bijgedragen tot het vinden van deze oplossing blijft het geheim van Soestdijk; staatsrechtelijk kon Bernhard niet zo maar gehandhaafd worden, maar als echtgenote is de koningin vierkant achter haar man blijven staan.

Het kroonprinselijk paar heeft het moeilijk gehad met deze hele kwestie. Van kind af aan had Beatrix grote bewondering voor haar vader gehad, maar zij kon niet ontkennen dat hij zijn positie danig had misbruikt. De functie van Claus werd nog moeilijker: hij moest tot elke prijs voorkomen, dat iemand hem ooit zou kunnen betichten van iets dat ook maar in de verste verte zou lijken op misbruik van zijn positie.
Weer zorgde koningin Juliana als een ware maatschappelijk werkster ervoor dat de goede verhoudingen binnen de familiekring en ook naar buiten hersteld werden.

6. Staatshoofd

Stel, dat een Chinese staatsrechtsgeleerde wil weten wie nu formeel het staatshoofd van Nederland is. Voor 1983 had hij in de grondwet kunnen lezen dat de koning de uitvoerende macht heeft; hij stelt algemene maatregelen van bestuur vast, hij heeft het opperbestuur der buitenlandse betrekkingen, net niet meer is hij automatisch opperbevelhebber van de strijdkrachten zoals koningin Wilhelmina dat formeel nog wel is geweest. De opsomming lijkt voldoende om de koning staatshoofd te noemen. Maar raadpleegt die geleerde de grondwet, zoals die in 1983 van kracht werd, dan vindt hij veel minder. Artikel 42 bepaalt:

1. De regering wordt gevormd door de koning en de ministers.
2. De koning is onschendbaar, de ministers zijn verantwoordelijk.

Dit is alles wat er over de 'macht' van de koning staat. Is de koningin nog staatshoofd?

Uit de grondwet kan men dit niet direct opmaken, maar het ministerie van Binnenlandse Zaken, waaronder deze zaken ressorteren, zegt ons dat men daar toch nog altijd het woord staatshoofd gebruikt. De beeltenis van de koningin staat op munten en postzegels; zij is het die jaarlijks de zitting van de Staten-Generaal opent. En zij is de centrale figuur in Nederland.

Koningin Emma heeft wel acht jaar lang het werk van staatshoofd verricht, maar zij deed dit als regentes voor haar minderjarige dochter. Emma heeft dit zelf altijd nadrukkelijk beklemtoond; waar zij ook kwam, haar dochter moest voorgaan, want die was formeel staatshoofd. In de praktijk was het natuurlijk de regentes die overleg pleegde met ministers en dan zo nodig beslissingen nam. Al spoedig bleek dat Emma zich grondig had voorbereid, ook op deze taak; zij toonde goed op de hoogte te zijn van het doen en laten van de regering en zij kon ministers en anderen zinnige vragen stellen. De jaren van haar regentschap behoren in geheel Europa nog volledig tot de negentiende eeuw en de nadagen van het liberalisme. Het liberale beginsel dat de staat, de overheid, alleen het allernoodzakelijkste moet doen, werkte nog stevig door. Wat het particulier initiatief tot stand kon brengen, moest het beslist doen.

In Nederland was er één kwestie waarover men zich opwond: de houding van Engeland in Zuid-Afrika. In de Napoleontische tijd heeft Engeland de Kaap in bezit genomen, maar het gaat zich pas echt voor het gebied interesseren als er goud wordt gevonden in Transvaal, waar de Boeren hun eigen republiek hadden gevestigd, nadat zij uit de Kaap zelf verdreven waren. In de eerste Transvaal-

▲ *Koningin Emma, circa 1900, geschilderd door P. de Josselin de Jong.*

▲ *Koningin Wilhelmina had grote bewondering gekoesterd voor het militaire werk van generaal Van Heutsz op Sumatra. Dat deze bewondering blijvend was, bleek o.a. uit haar aanwezigheid bij de onthulling van het monument voor Van Heutsz in Amsterdam in 1935. Ook in* Eenzaam maar niet alleen *heeft zij er uiting aan gegeven.*

oorlog die volgde, koos Nederland heel duidelijk de kant van de Boeren, niet tot genoegen van de Britten. De woede in Nederland laaide hoog op toen in januari 1896 de Britse kolonist Jameson een gewapende *raid* uitvoerde, met de bedoeling Transvaal stevig in handen te krijgen. Jameson werd verslagen, maar de anti-Britse stemming in Nederland werd er niet minder om. Volgens de oudere geschiedverhalen, was het regentes Emma, die 'zorgde voor de instandhouding van een goede verhouding met Albion'. Zij verscheen onverwachts op een feest van de Engelse gezant in Den Haag. Wij mogen aannemen dat zij dit deed op initiatief of verzoek van het kabinet.

Als Emma het bewind aanvaardt, is er voor het eerst een christelijk kabinet onder leiding van mr. A.E. baron Mackay; het is in 1888 nog beëdigd door Willem III. Dit kabinet is er gekomen door de activiteiten – ook in zijn blad *De Standaard* – van dr. Abraham Kuyper. Tot dan toe was het land bestuurd door liberalen of conservatieven. De liberalen keerden in 1891 weer terug en zij zouden nog tien jaar lang kabinetten leveren.

Als eerste socialist deed Ferd. Domela Nieuwenhuis in 1888 zijn intrede in de Kamer; in 1897 werden in drie districten leden van de S.D.A.P. gekozen, onder wie mr. P.J. Troelstra, die de leider van zijn partij zou worden.

Koning Willem III had al jaren de troonrede niet meer voorgelezen op prinsjesdag. Koningin Emma herstelde deze gewoonte meteen in 1891. Zo rustig als het was in Nederland zelf, zo veel gebeurde er op Sumatra. Aanvankelijk was er opstand in Lombok; later zouden zich ook botsingen voordoen in Atjeh. De vanzelfsprekendheid waarmee overheid en onderdanen aanvaardden dat een opstand in een kolonie met wapengeweld werd onderdrukt, is nu onbegrijpelijk.

In 1894 slaagde het Nederlands-Indische leger erin de opstandige Lombokkers te onderwerpen. In *Eenzaam maar niet alleen* lezen wij dat Emma en Wilhelmina begin 1895 een bijeenkomst bijwoonden ter herdenking van de in Lombok gesneuvelde Nederlanders. Wilhelmina voegt eraan toe: 'Toen reeds was er in mijn onderbewustzijn een onbevredigdheid over de onmacht, die het in een kooi opgesloten zijn meebracht, waardoor het nemen van een initiatief, welk dan ook, onmogelijk was. En een niet geringere onbevredigdheid had bij mij de slappe tijdgeest van die dagen gewekt. Deze avond versterkte deze gevoelens in mij.'

Enkele maanden later reikt de vijftienjarige Wilhelmina aan de uit Lombok teruggekeerde militairen een speciaal ingesteld Lombok-kruis uit. Een van de mensen voor wie zij een zeer grote bewondering koestert is generaal Van Heutsz, die Atjeh beslist niet zachtzinnig onder de Nederlandse macht bracht. In de troonrede die koningin Emma op 15 september 1896 voorleest, zegt zij: 'Ik breng hulde aan de voortvarendheid en de moed van het Nederlands-Indische leger, dat met krachtige bijstand van de zeemacht de afvallige hoofden in Atjeh de macht onzer wapenen op gevoelige wijze doet ondervinden. Met weemoed herdenk ik de offers, die daarvoor moesten worden gebracht.'

In haar biografie van koningin Wilhelmina voegt Henriëtte de Beaufort

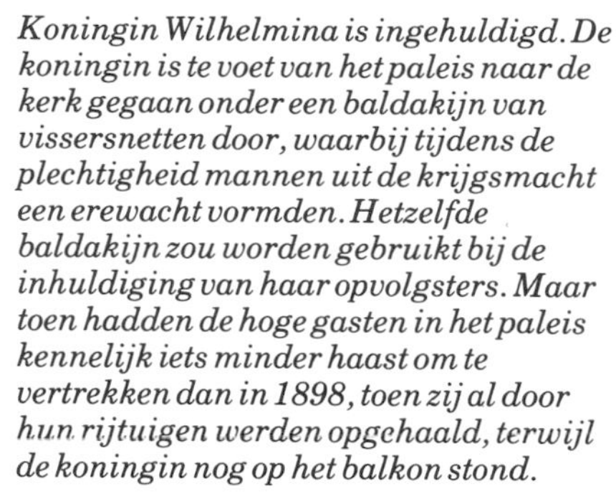

Koningin Wilhelmina is ingehuldigd. De koningin is te voet van het paleis naar de kerk gegaan onder een baldakijn van vissersnetten door, waarbij tijdens de plechtigheid mannen uit de krijgsmacht een erewacht vormden. Hetzelfde baldakijn zou worden gebruikt bij de inhuldiging van haar opvolgsters. Maar toen hadden de hoge gasten in het paleis kennelijk iets minder haast om te vertrekken dan in 1898, toen zij al door hun rijtuigen werden opgehaald, terwijl de koningin nog op het balkon stond.

hieraan toe: 'Wie in het moederland sprak of dacht aan de voortvarendheid en de moed van het vijandig verzet in Atjeh?' Zo te horen niemand; de socialistische Kamerleden woonden in die dagen de zitting op prinsjesdag niet bij.

Het is de op één na laatste troonrede die Emma zal uitspreken; het volgend jaar is Wilhelmina erbij, maar Emma is nog regentes. Zij zegt dan alleen: 'Worden mijn dierbaarste wensen en die van het Nederlandse volk vervuld, dan zal voor het einde van dit zittingsjaar mijn beminde dochter de regering aanvaarden.'
Emma is Wilhelmina al heel snel gaan inlichten over staatszaken. Zij bracht in 1891 de tienjarige natuurlijk niet op de hoogte van de kabinetsformatie, maar naarmate het kind ouder werd, besprak haar moeder de zaken steeds meer met haar. Als Wilhelmina zestien is, laat Emma haar dochter volledig deelnemen aan officiële ontvangsten. Na afloop daarvan houdt de jonge koningin receptie, waardoor zij haar verlegenheid onder controle leert houden. Door deze wijze van handelen en door de talloze binnen- en buitenlandse reizen, was Wilhelmina in staat op haar achttiende verjaardag het bewind in handen te nemen.

Om 12 uur in de middag van 31 augustus 1898 legt koningin Emma het regentschap neer; zij vaardigt een laatste proclamatie uit. Deze proclamatie bevat de nog altijd aangehaalde slotzinsnede: 'Ons land zij groot in alles, waarin een klein volk groot kan zijn.' Natuurlijk verschijnt er ook een proclamatie van de jonge koningin: 'Aan de grondwet getrouw, wens ik de eerbied voor de Nederlandse naam en de Nederlandse vlag te bevestigen. Ik wens bij het opperbestuur over de bezittingen en koloniën in Oost en West rechtvaardigheid te betrachten en naar mijn vermogen bij te dragen tot verhoging van uw geestelijk en stoffelijk welzijn.'
De verjaardag zelf van de jonge koningin werd in Den Haag gevierd; op 5 september gingen de beide koninginnen naar Amsterdam, waar op dinsdag de zesde in de Nieuwe Kerk de inhuldiging zou plaatsvinden.
In 1898 is er naar de gewoonte van die dagen met heel zware woorden gejubeld over de 'kroning' en de 'troon' die de koningin besteeg. In werkelijkheid was er voor het koperen koorhek van de Nieuwe Kerk een platform met vier treetjes, waarop twee passende stoelen waren neergezet. Fotografen waren niet aanwezig; in die dagen was het technisch niet mogelijk in de kerk opnames te maken zonder hinderlijk flitslicht. De bijeenkomst is

Maintiendrai

▶ *Na haar troonsbestijging bezocht Wilhelmina natuurlijk ook al snel Rotterdam; zij werd nog vergezeld door haar moeder. De koninginnen werden ontvangen op het stadhuis, dat toen nog aan de Hoogstraat stond, maar waarvan de indrukwekkende trap was gelegen aan de kant van de Kipstraat. Zij werd natuurlijk ontvangen en uitgeleid door o.a. leden van de gemeenteraad. Het was de heren kennelijk toegestaan óf in jacquet óf in rok te verschijnen, maar de hoge hoed was verplicht, al mochten alleen degenen wie de koningin al gepasseerd was, die weer op zetten. Maar wat doen die ene vrouw en die ene man met een strohoed aan de voet van de trap in dit gezelschap?*

door beeldend kunstenaars vastgelegd. De inhuldiging was, zoals gezegd, niets anders dan een speciale zitting van de volksvertegenwoordiging. De voornaamste aanwezigen waren dan ook de Kamerleden, op hen volgden de ministers en andere hoogwaardigheidsbekleders, daarna de overige gasten. Uiteraard hield de jonge vorstin voor het afleggen van de eed een toespraak, die blijkens de mededelingen van minister Pierson, geheel haar eigen werk was. Wij ontlenen er één zin aan: 'Laat ons samen arbeiden voor het geluk en de voorspoed van het Nederlandse volk. Dat zij ons aller levensdoel.'
In 1568 had Willem de Zwijger, toen hij de zaak van de Nederlanden in een reeks geschriften voor de gehele toenmalige wereld bepleitte, geschreven: 'Zo laat ons dan samen met eendrachtigen herte ende wille de bescherming van dit goede volk aangrijpen en voor de hand nemen.' Wilhelmina kende haar geschiedenis.

◀◀ *Inhuldiging van koningin Wilhelmina in de Nieuwe Kerk in Amsterdam op 6 september 1898 in een verenigde vergadering van de beide Kamers der Staten-Generaal. De voorzitter van de Eerste Kamer verzoekt de koningin de eed af te leggen.*

▲ *In het eerste decennium van de twintigste eeuw kwamen de eerste 'vliegmachines' ook boven Nederland in de lucht; al in 1913 had Nederland een militaire 'vliegdienst', gestationeerd in Soesterberg. Daar maakte de koningin kennis met deze aanwinst.*

Als Wilhelmina het bewind aanvaardt, verschijnt er een groot gedenkboek waarin Nederlandse prestaties hoog worden opgehemeld. Heel kort daarna komt er een klein geschrift op de markt: *Een vergeten hoofdstuk* waarin Ferdinand Domela Nieuwenhuis de ellende, die er in Nederland ook is, aan de kaak stelt. Domela Nieuwenhuis is dan al het zwarte schaap en de zondebok in de ogen van het 'nette' Nederland: hij heeft zelfs gevangen gezeten wegens publicatie van een voor de monarchie beledigend artikel in zijn blad *Recht voor allen*. Wie nu het 'vergeten hoofdstuk' leest, staat verbaasd over de beschaafde en zorgvuldige wijze, waarop de socialist zijn kritiek uit. Wilhelmina zou pas van het geschrift horen toen haar secretaris Thijs Booij ruim een halve eeuw later een exemplaar meebracht. De oude koningin was fel verontwaardigd. Waarom had men haar dat destijds niet gegeven? Zij zelf kon het antwoord op die vraag geven. Toen zij de regering aanvaardde, was het kabinet al vele jaren gewend om de koning slechts heel beknopte informatie te verschaffen; Willem III had dit rustig aanvaard. Ook Wilhelmina kreeg in het begin van haar bewind slechts summiere informatie van het kabinet. Van de ministersvergaderingen kreeg zij niet meer dan een zeer onvolledig overzicht.

Er zijn redenen om aan te nemen dat Emma haar dochter ervan heeft overtuigd dat zij er als koningin goed aan zou doen een zo groot mogelijke waakzaamheid te betrachten, omdat er te vaak misbruik werd gemaakt van het vertrouwen van vorsten, die bovendien te weinig wisten. Al bij de eerste kabinetsformatie in 1901 kwam Wilhelmina's waakzaamheid tot uiting. Op basis van de verkiezingsuitslag was dr. A. Kuyper de aangewezen formateur. Hij kreeg van de koningin heel nauwkeurige aanwijzingen voor die opdracht: het nieuwe kabinet moet ook rooms-katholieke ministers hebben, het moet Van Heutsz in Atjeh blijven steunen en het moet ook voortgaan met steun aan de Zuidafrikaanse Transvalers in hun strijd tegen Engeland.

Bij deze instructies kan het feit dat de koningin niet op de AR-leider gesteld was, een rol hebben gespeeld. Dit was overigens wederzijds. Kuyper gaf in het diepst van zijn hart de voorkeur aan een republikeinse staatsvorm met een president – hijzelf – als staatshoofd.

In de vijftig jaar van haar bewind gaf Wilhelmina 17 maal opdracht tot vorming van een kabinet; de vele wijzigingen die in de Londense tijd in het kabinet-Gerbrandy werden aangebracht niet meegeteld. Tot na 1945 heeft niemand de vraag gesteld naar de rol van de koningin bij de vorming van kabinetten en in de politiek.

Langzamerhand is er het een en ander bekend geworden over haar actieve bemoeienis met de regering.

Van meet af aan heeft zij gepleit voor

◀ *Het burgerlijk huwelijk van koningin Wilhelmina en prins Hendrik werd op 7 februari 1901 in het paleis Noordeinde gesloten. De kerkelijke inzegening vond op dezelfde dag plaats in de Haagse Grote Kerk.*

versterking van de defensie van Nederland. Al voor 1914 heeft zij eens gedreigd met abdicatie, omdat het kabinet haar niet wilde volgen. In tegenspraak tot deze houding lijkt haar weigering in 1918 de opperbevelhebber van de strijdkrachten C.J. Snijders te ontslaan. Snijders had de regering duidelijk gemaakt dat hij verzet tegen de Duitsers, als die alsnog een aanval zouden doen op Nederland, doelloos vond. De regering kon zo'n defaitistisch standpunt niet dulden. Wellicht heeft Wilhelmina door haar weigering de generaal te ontslaan, het kabinet duidelijk willen maken dat ook zij de defensiekracht van Nederland veel te gering achtte. Een feit is voorts dat Wilhelmina vele jaren lang beslist niet anti-Duits is geweest; zij was eerder anti-Brits.

Die anti-Britse gezindheid was natuurlijk het duidelijkst gebleken tijdens de tweede Boerenoorlog, toen de Boeren het moesten afleggen tegen de Engelsen. Uit die dagen dateert de kwalificatie van koningin Wilhelmina als 'de enige man op een Europese troon'. Men hoorde immers dat de koningin de *Heemskerck* stuurde om de president van Transvaal, Paul Kruger, die voor de Engelsen was uitgeweken, op te halen. Toen was nationalisme nog geen verwerpelijke zaak; de Nederlanders juichten de komst van Kruger toe en hun koningin steeg in hun achting. Het initiatief voor de hulp aan Kruger was echter uitgegaan van het kabinet. De minister van Buitenlandse Zaken, De Beaufort, had de koningin op 15 september 1900 een telegram gestuurd. Daarin verzocht hij de machtiging

Meer dan driekwart eeuw ligt er tussen de dag waarop Paul Kruger, door de Engelsen uit Transvaal verdreven, in Nederland aankwam en die waarop koningin Beatrix de Nobelprijswinnaar en strijder tegen de apartheid bisschop Desmond Tutu ontving (25 januari 1985). In de dagen van Kruger was Nederland fel pro-Boer; de Boeren verdedigden hun onafhankelijkheid tegen de Engelsen, zoals de Nederlanders dat ooit tegen Spanje hadden gedaan. De foto is, zoals toen meer geschiedde, gemonteerd. Volgens een bijschrift uit die dagen wekt Emma haar dochter op de president liefdevol te ontvangen. Het besef dat Paul Kruger eerder vrijheidsstrijder was dan verdediger van de 'apartheid' (het woord bestond toen trouwens nog niet) begint weer door te dringen.

van de koningin om Paul Kruger een oorlogsschip aan te bieden voor de overtocht naar Nederland.
Dat dit kabinetsbesluit de koningin welkom was, was van meet af aan duidelijk. De *Heemskerck* voer naar Lorenzo Márquez, waarheen Kruger de wijk had genomen. In Frankrijk bejubelde de dichter Edmond Rostand '*la petite reine*, die een verslagen grijsaard de hand reikte.' Een reeks van Franse dichters volgde zijn voorbeeld, maar het kostte de Nederlandse gezant de nodige hoofdbrekens Kruger door Frankrijk heen te sluizen; de Franse regering wilde niet in moeilijkheden komen met de Engelsen. De Nederlandse regering zegt in de troonrede van 1900: 'De natie is op het kookpunt inzake Transvaal!' Minister-president Pierson schrijft in zijn *Dagboek* op 2 september 1900: 'Wij moesten iets doen om hier te lande de mensen tot kalmte te brengen. Er zouden anders dwaze dingen zijn gebeurd, ware dolheden'.
Het meest jubelen uiteraard de Boeren; hun volksdichter Jan Celliers schrijft o.a.:

Wilhelmina, vorstin uit Nassau's zaad,
O, hoe het die stem
Van bloed gepraat
In ons dag van rou
Onder druk van kwaad;

▶ *In 1903 waren er grote spoorwegstakingen, die leidden tot het verbod van staking voor spoorwegpersoneel en verschillende andere groepen. De 'worgwet' waarin deze verboden vervat waren, moest natuurlijk door de jonge koningin getekend worden. Zij kwam daartoe – per trein – van Het Loo naar Den Haag. Het verbod op stakingen werd ingetrokken toen de regering in Londen in september 1944 de spoorwegstaking beval.*

Bloed mocht toen nog spreken en het deed dat in Nederland in die dagen heel duidelijk! Ook dat van de koningin.

Al voor Wilhelmina's troonsbestijging waren op initiatief van de Russische tsaar Nicolaas II de voorbereidingen begonnen voor de eerste Vredesconferentie die op 18 mei 1899 in Den Haag van start zou gaan. Voor die conferentie waren twintig Europese en zes niet-Europese landen uitgenodigd.
De opening geschiedde in de grote zaal van Huis ten Bosch, maar de koningin was niet enthousiast. Om Engeland tegemoet te komen waren de Boerenrepublieken niet uitgenodigd, hetgeen zij kwalijk vond, maar bovendien gelooft zij in die dagen niet in de mogelijkheid oorlogen uit te bannen; de belangen zijn te tegenstrijdig. In 1913 zal zij het door Andrew Carnegie geschonken Vredespaleis in Den Haag wel openen, maar ook dit gebeurt niet van harte. De dag ervoor zegt zij tegen haar ministers dat zij de volgende dag wel hoofdpijn zal hebben en dus niet kan komen. Een van de ministers antwoordde dat hij er zeker van was dat zij die avond een anti-hoofdpijnmiddel zou innemen. Maar als zij komt, is zij zeer ontsticht. Vele landen hebben geschenken gegeven voor de inrichting van het gebouw. Heel snel ontdekt Wilhelmina dat de replica van het beeld 'De Christus van de Andes', dat na een conflict tussen Argentinië en Chili zonder bloedvergieten aan de grens werd opgericht, ergens was 'weggestopt' in een hoek op de derde verdieping. Alle andere waardevolle geschenken zag men op de eerste. Toen de koningin om een verklaring hiervoor vroeg, kreeg zij te horen dat dit was gebeurd omdat men niet-christelijke landen als Japan enzovoort moest ontzien. Wilhelmina was allerminst te spreken over 'deze laffe neutraliteit, die oorzaak is geweest van de miskenning van de verheven bedoeling en symboliek van dit geschenk' (uit: *Eenzaam maar niet alleen*). Haar reactie was fel: toen zij Argentijnse dames die de replica hadden aangeboden in particuliere audiëntie ontving en deze haar om een gesigneerd portret vroegen, gaf de koningin dit, nadat zij de woorden 'Christ avant tout' had toegevoegd.

In januari 1903 brak er een staking uit bij Blaauwhoedenveem in Amsterdam; de arbeiders wilden hogere lonen en betere arbeidsvoorwaarden. Die staking sloeg over naar de H.Y.S.M. (Hollandse IJzeren Spoorweg Maatschappij), één van de twee organisaties die het railvervoer verzorgden. Door die staking werd het gehele verkeer ontregeld. IJlings liet Kuyper een wetsontwerp opstellen waarbij het aan bepaalde groepen in openbare dienst verboden werd in staking te gaan. Wie bij de spoorwegen werkte, mocht niet staken.

De wet werd aanvaard met 81 tegen 14 stemmen. Alleen de S.D.A.P.-ers en de Vrijzinnig-democraten stemden tegen. Over de oorzaken van de staking schrijft Wilhelmina in *Eenzaam maar niet alleen* niets, maar zij zegt wel: 'Deze gebeurtenis heeft diep ingegrepen in de gang mijner innerlijke ontplooiing, want de Leiding in mijn leven heeft juist door dit gebeuren mij tot het inzicht gebracht, dat heel het leven in al zijn vormen en geledingen alleen dan bewaard wordt voor rampen, indien het in Gods licht gezien wordt.'
Het is niet de tweeëntwintigjarige vorstin die dit schrijft, maar de bejaarde vrouw die haar leven aan zich voorbij laat trekken.
Dat zij zich niet concreet uitspreekt over de redenen van de staking laat

4.5
XVII
FEC. LITH
NADRUK VERBODEN
DRUKK. KOTTING
TEN BATE DER BELGISCHE
SLACHTOFFERS VAN OORLOG

zich verdedigen: de koningin was ook na haar abdicatie constitutioneel gebonden. Maar haar gedachtengang zal toch voor velen moeilijk te volgen zijn. Voor haar is die mystieke instelling ten aanzien van de hogere Leiding echter de essentie van het leven. Daarbij komt nog dat zij de Nederlanders zag als een 'uitverkoren volk', zoals eens Israël door God was uitverkoren. Dit was een opvatting die in de beginjaren van deze eeuw door meer Nederlanders werd gehuldigd. Men behoeft er bepaalde geschiedenisboeken uit die tijd maar op na te slaan om dit te merken. Nederland had zich van een Spaans-roomse dictatuur bevrijd in een strijd van tachtig jaar en was daardoor in een uitzonderlijke positie gekomen.

En toen kwam 1914 met de Eerste Wereldoorlog. Bij al haar mystiek was Wilhelmina nuchter en intelligent genoeg om deze oorlog te hebben voorzien: er waren te veel gebieden waar conflicten dreigden.
Op 28 juni werd de Oostenrijkse troonopvolger Franz Ferdinand tijdens een bezoek aan Serajewo met zijn vrouw vermoord door een Servische nationalist. Nadat Servië een ultimatum had afgewezen, verklaarde Oostenrijk-Hongarije dit land op 28 juli de oorlog.
Rusland duldde geen verdere uitbreiding van de Oostenrijkse macht in de Balkan; het gevolg was dat ook dit land in oorlog kwam. Oostenrijk sleepte automatisch zijn bondgenoot Duitsland mee en Frankrijk werd bij de oorlog betrokken krachtens een Russisch-Frans verdrag. Op 4 augustus vielen de Duitsers het neutrale België binnen, waardoor ook Engeland met hen in oorlog kwam. De Duitsers schonden geen Nederlands gebied en dus bleef ons land neutraal. Uiteraard was er wel een algemene mobilisatie afgekondigd en had de koningin haar verblijf op Het Loo afgebroken: zij wilde te allen tijde direct beschikbaar zijn voor het kabinet, dat onder leiding stond van mr. P.W.A. Cort van der Linden. Er was dagelijks contact met de ministers.
De algemene mobilisatie heeft een grote ontreddering teweeg gebracht in tal van gezinnen.

Al op 10 augustus installeert de koningin een Nationaal Steuncomité, waarin alle groepen van de bevolking vertegenwoordigd zijn. Het duurt niet lang of grote stromen Belgen vluchten voor de oprukkende Duitsers naar Nederland; er is een periode geweest, waarin er op de zeven miljoen inwoners meer dan een miljoen vluchtelingen waren.

De koningin besluit tot een drastische vereenvoudiging van haar hofhouding en afschaffing van allerlei ceremonieel. Zij zelf stort zich letterlijk op bezoeken aan en inspecties van 'haar' soldaten. Onvermoeid trekt zij voortdurend het gehele land door; nu kan zij eindelijk iets positiefs doen. Zelfs nachtelijke militaire oefeningen woont zij bij.

◀*Nadat de Duitsers in augustus 1914 België waren binnengevallen, vluchtten honderdduizenden Belgen naar Nederland. Met veel improvisatie werden zij opgevangen; het door de koningin gevormde Nationale Steuncomité nam ook zorg voor deze vluchtelingen op zich. Nog in 1917 verscheen er een affiche dat diende om geldinzamelingen te ondersteunen.*

Bij elke feestelijke gelegenheid in het Koninklijk Huis verschenen er talloze souvenirs. In 1923 vierde Wilhelmina haar zilveren regeringsjubileum; er verschenen toen ook wandplaten en ansichtkaarten. Op een van die kaarten is zij afgebeeld tussen het paleis Noordeinde en het Vredespaleis; de ontwerper was er kennelijk niet van op de hoogte dat Wilhelmina nooit geloofd heeft dat oorlog door een internationaal gerechtshof of door overleg kon worden uitgebannen.

▲ *In 1917 woedde er in Drenthe een aantal veenbranden; de koningin ging er natuurlijk heen. Dat er geen brug meer was, schrok haar niet af.*

In het begin van 1916 eiste ook de burgerbevolking haar aandacht: doorbraken van de Zuiderzeedijken hadden overstromingen veroorzaakt van Anna Paulowna tot Spakenburg toe, waardoor bijna geheel Noord-Holland onder water kwam te staan.

▲ *Na de watersnood, die Noord-Holland in 1916 teisterde, bezocht de koningin de getroffen gebieden uitvoerig. Zij had zich daarbij gehuld in kleren die tegen vele stootjes bestand waren en had voor alle veiligheid haar hoed onder de kin vastgestrikt; de stok had zij nodig als zij de door het water omspoelde huizen via een paar planken die als noodbrug dienst deden, wilde bereiken. Eén keer, op een heel lange noodbrug, moest burgemeester Ter Laan van Zaandam haar toch beetpakken om te voorkomen dat zij in het water zou vallen.*

Het gemobiliseerde leger had nu volop werk bij het redden van vluchtelingen. De koningin was er vanzelfsprekend ook om de slachtoffers op te beuren. In *Eenzaam maar niet alleen* komt de naam van één burgemeester voor, die van de socialist K. ter Laan, die haar als burgemeester van Zaandam op haar tocht vergezelde. Hij bracht de koningin naar een van de meest in gevaar verkerende gezinnen in een alleenstaand huisje in kolkend water. Er liep slechts een wankel vlondertje naar een dijk. De koningin aarzelde niet: zij liep het vlondertje op en ging bij de mensen naar binnen.
In de loop van de oorlogsjaren werd de voedselvoorziening slechter en kwam er ook op andere gebieden schaarste, maar van groot gebrek, zoals wij dat een kwart eeuw later zouden beleven, was geen sprake. Nadat ook de Verenigde Staten aan de oorlog waren gaan deelnemen werden de oorlogvoerende partijen minder omzichtig ten aanzien van de neutraliteit van Nederland. In 1917 deden Engelse oorlogsschepen binnen de Nederlandse territoriale wateren een aanval op een Duits konvooi, waarbij projectielen neerkwamen in het Noordhollandse kustgebied. De koningin telegrafeerde haar verontwaardiging aan de Engelse koning en ook keizer Wilhelm kreeg te horen, dat zij hoogst ontstemd was.

◀ *In september 1914 vindt de plechtige jaarlijkse opening van de vergadering van de Kamers der Staten-Generaal plaats in de Ridderzaal. Op de troon is een stoel geplaatst voor koningin Emma, maar die heeft nadat haar regentschap beëindigd was, zelden meer aan deze plechtigheid deelgenomen. De Kamerleden zijn nog zonder uitzondering mannen. Pas na de Eerste Wereldoorlog zouden vrouwen haar intrede doen in de hoogste staatscolleges.*

De Engelse koning stuurde een betuiging van leedwezen en daarmee was de zaak afgedaan. Voor de reacties van de koningin was uiteraard het kabinet verantwoordelijk, maar wie geschriften van ministers uit die dagen leest, merkt duidelijk dat zij haar eigen mening had en daaraan vasthield. Wij halen iets aan uit *Een persoonlijk woord* van mr. M.W.F. Treub, die van 1913 tot 1918 minister van Landbouw, Handel, Nijverheid en Financiën was. 'De koningin is in haar oordeel over mensen en zaken allerminst onvast. Zij heeft een eigen mening en laat die niet gemakkelijk los. Voor een constitutionele vorstin is deze op zich hoog te waarderen eigenschap in sommige omstandigheden wel eens lastig. Waar de ministers verantwoordelijk zijn, moet – indien het niet zover loopt, dat deze bewindslieden hun ontslag aanbieden – bij verschil van mening over aangelegenheden van staat, hun inzicht zegevieren. In zulke ogenblikken is het voor een zwakke vorst heel wat gemakkelijker zich te voegen dan voor een vorstin met zulk een gedecideerd karakter als H.M. heeft. Men leide hieruit niet af, dat zij naar mijn mening haar constitutionele positie niet zou erkennen of er niet naar zou handelen. Maar er zijn ogenblikken, waarin het moeilijk valt zich te voegen.' Het is zeer diplomatiek uitgedruk, maar voor een goede verstaander voldoende.

De oorlog duurt ondanks het ingrijpen van de Verenigde Staten voort tot in november 1918. In de zeer vroege ochtend van 10 november eist een aantal Duitse officieren bij Eijsden toegang tot Nederland. De dienstdoende sergeant weigert, want de heren hebben geen papieren, maar dan ineens ontdekt hij de keizerlijke nummerborden op de auto's en herkent hij ook 'Der Kaiser'. Hij waarschuwt zijn commandant; drukke telefoongesprekken volgen, de heren mogen het station binnenkomen. Zij zitten er meer dan vierentwintig uur, dan kan het gezelschap naar Amerongen, waar graaf Bentinck zijn johanniterbroeder onderdak wil geven. Koningin Wilhelmina was perplex toen zij met het bericht werd gewekt. Dat een keizer op de vlucht sloeg voor zijn eigen troepen! Uit *Eenzaam maar niet alleen*: 'Ik overdrijf niet als ik zeg, dat het mij een week en misschien nog

langer gekost heeft voor ik geloof kon hechten aan de ingekomen berichten, zó onwaarschijnlijk leek mij deze handelwijze.'
De geallieerden eisten uitlevering van de keizer, die zij als oorlogsmisdadiger wilden berechten, maar Nederland weigerde met een beroep op het asielrecht. Op kasteel Amerongen tekende de keizer de acte tot afstand van de Duitse troon en stukken die Nederland de zekerheid verschaften dat hij zich buiten elke vorm van politiek zou houden. Daarna zorgde Wilhelmina ervoor dat ook keizerin Augusta naar Nederland kon komen. Tot zijn dood op 4 juni 1941 heeft de ex-keizer op Huize Doorn gewoond. Wilhelmina heeft hem nooit ontvangen of bezocht; Juliana is verschillende malen bij hem geweest en was zelfs bruidsmeisje bij het huwelijk van Wilhelms oudste kleinzoon. Wilhelm heeft zich onttrokken aan alle pogingen van de nazi's hen te accepteren.

De vlucht van de keizer bevestigde de Duitse nederlaag en leidde tot het 'over de straat rollen van de kronen'; in Duitsland werd niet één koning, hertog, graaf of vorst gehandhaafd. Sommigen van hen legden hun functie na overleg neer, maar in de meeste gevallen was de afstand gedwongen. Er waren in Nederland mensen die de mogelijkheid van handhaving van de koningin niet groot achtten. De Amsterdamse bankier Ernst Heldring schreef op 14 november 1918 in zijn dagboek: ''s Avonds heb ik een gesprek met Colijn en Van Swinderen, die vrij pessimistisch over handhaving van de koningin zijn. Haar eigen politiek, inzonderheid die ten opzichte van de opperbevelhebber Snijders, welke zij tegen de zin van minister De Jonge niet wilde loslaten, heeft haar kwaad gedaan. Ook het domme optreden van de prins, met zijn wilde zwijnen, zijn afzetting van grote terreinen op de Veluwe, heeft het monarchale prestige geschaad.' Ook de S.D.A.P. onder Troelstra meende dat

◀ *In de Eerste Wereldoorlog bezocht Wilhelmina geregeld 'haar troepen'.*

▲ *Huisdieren zijn voor vele vorsten belangrijk geweest; in haar laatste levensjaren liet Wilhelmina zich enkele keren fotografen met haar honden, maar het is niet waarschijnlijk dat zij het nodig zou hebben gevonden bij bezoek aan haar troepen door een hond vergezeld te worden. Keizer Wilhelm was wel sentimenteel over zijn hond Senta, getuige deze grafsteen bij Huis Doorn.*

het met de monarchie gedaan was. Deze zakenlieden en politici hadden zich verkeken op de inventiviteit van koningin en regering. Deze wisten dat het aantal 'Oranjeklanten' onder het 'gewone volk' nog altijd heel groot was. Op hen moesten zij een beroep doen.
Op 18 november werd er een 'spontaan huldebetoon' aan de koningin gehouden op het Malieveld in Den Haag. De spontaniteit was zeer grondig georganiseerd door de regering en het Haagse gemeentebestuur. Natuurlijk zou de koningin bij die huldebetoging aanwezig zijn. Zij reed erheen in een open landauer, samen met Hendrik en Juliana. Bij het Malieveld werden de paarden van de landauer uitgespannen en stonden mannen van de marine klaar om de koets verder te trekken. De koningin ging staan in het rijtuig en hield een spontane rede, waarin zij de persoonlijke hulde op het hele land betrok: 'Leve het vaderland!'
Twee dagen later gaf de koningin een proclamatie uit. Daarin stond onder meer: '...onder de indruk van de geweldige beroeringen in de volken van Europa is ook in ons vaderland de staatsorde een ogenblik bedreigd. Het antwoord daarop, door u met overweldigende meerderheid gegeven, heeft op mij diepe indruk gemaakt. Ik dank u daarvoor uit de grond van mijn hart. Het grondwettig gewaarborgde recht van het volk om langs wettige weg, niet onder druk van dreigement, zijn verlangen over zijn lot te doen kennen, is gehandhaafd en het parlementaire recht kan worden voortgezet.
Het is mijn verlangen de voorgenomen hervormingen door te zetten en aan te vullen met de snelheid die past bij de polsslag van deze tijd. Reactie zij uitgesloten, wij moeten vooruit!'
De hervormingen kwamen: er werd algemeen kiesrecht ingevoerd voor mannen en vrouwen; de werkdag zou verkort worden tot acht uur (voorlopig was dit 45 uur per week, want ook op zaterdag werd gewerkt). De onderwijswet bracht de volledige gelijkstelling van openbaar en bijzonder onderwijs, iets waarvoor de christelijke

De negenjarige Juliana moest natuurlijk mee toen de koningin op 18 november 1918 naar het Haagse Malieveld toog voor een massale aanhankelijkheidsbetuiging die in de pers in vele toonaarden als 'ontroerend' werd beschreven. De 'spontane' betoging was heel wel bewust en goed georganiseerd, als het belangrijkste onderdeel van vele lokale acties die duidelijk moesten maken dat 'de revolutie bij Zevenaar was opgehouden', nadat in heel Europa de kronen over straat hadden gerold. De bovenste illustratie is een schilderij van Hoynck van Papendrecht, die een totaaloverzicht schilderde. De fotograaf lukte het met zijn lens heel dichtbij te komen (afbeelding hiernaast).

▲ *In 1935 brachten Wilhelmina en Juliana een vakantie door in Schotland. Vakanties waren de periodes waarin de koningin zich ongestoord kon wijden aan haar schilderwerk.*

partijen lang hadden geijverd. Een zware schaduw op de snelle ontwikkeling wierp de Spaanse griep in 1919, die 17 000 slachtoffers eiste.
De oprichting van de Volkenbond zou het einde betekenen van alle oorlogen. Het gevolg was dat Nederland al snel begon te bezuinigen op defensie. De koningin geloofde niet, dat de vrede gehandhaafd zou worden en voelde zeer weinig voor inkrimping van leger en vloot.
In 1929 is in New York 'Black Thursday', het onmiskenbare begin van een grote economische crisis. Aanvankelijk vallen de gevolgen voor Nederland nog wel mee, maar in 1931 devalueert het Engelse pond en daardoor neemt de Engelse export snel toe ten koste van de Nederlandse. De werkloosheid groeit met sprongen. Hier en daar worden pogingen gedaan werklozen aan werk ten algemenen nutte te zetten, zoals bijvoorbeeld de aanleg van het Amsterdamse bos, maar van een bewuste antiwerkloosheidspolitiek is geen sprake. De werkloosheid neemt pas af als het kabinet Colijn besluit in 1936 tot devaluatie van de gulden. Maar dan is inmiddels Hitler al aan de macht.
Koningin Wilhelmina heeft het gevaar van het nazisme al heel vroeg herkend; in tegenstelling tot het merendeel van de politici had zij direct *Mein Kampf* gelezen, waardoor elke illusie haar was ontnomen dat er in het nazisme iets goeds stak. Hitlers leer was satanisch.
In januari 1936 riep zij een aantal vlag- en opperofficieren bijeen, want zij had geen vertrouwen in het defensiebeleid van het kabinet. Zoiets was ongebruikelijk, al kon niemand haar verbieden het oordeel te vragen van deskundigen over bepaalde zaken. Het was wel een aanwijzing dat de koningin snakte naar meer beslissingsmogelijkheden.
In haar familieleven deden zich in de jaren dertig grote veranderingen voor; in 1934 overleden koningin Emma en prins Hendrik kort na elkaar. Op 8 september 1936 verloofde

▼ *Wilhelmina heeft haar gehele regeringsperiode contact gehouden met de strijdkrachten. Tot de Tweede Wereldoorlog hield zij de inspecties te paard, zoals bij de inspectie van de huzaren, februari 1929.*

◀ *In mei 1939 bracht koningin Wilhelmina een staatsbezoek aan België; hier ziet men de begroeting van de koningin door Leopold op het Brusselse station. Bij zulke gelegenheden droeg Wilhelmina ook staatsiekleding met onderscheidingen die hier bijna schuil gaan onder de bloemen die zij kennelijk al eerder heeft ontvangen. Over haar japon droeg zij een cape-achtige stola; die was in Brussel in mei wel gewenst.*

Juliana zich met Bernhard. De eerste jaren met haar 'kinderen', zoals zij hen noemde, en al spoedig met een kleinkind, behoren tot de beste in het leven van Wilhelmina.
Zou Wilhelmina haar wel geuite voornemen om in 1938 te abdiceren hebben uitgevoerd, dan zou zij in onze geschiedenis voortleven als een plichtsgetrouwe, toegewijde vorstin die gerespecteerd werd, maar hoog en ver was gebleven van haar volk. Toen zij tien jaar later afstand deed van de troon, was zij hét onwrikbare symbool van het verzet tegen de nazi's en degene die met haar radio-redevoeringen de mensen in bezet gebied telkens weer een hart onder de riem had gestoken. Nog vele jaren na 1945 kon iemand, die enige kritische opmerkingen maakte over die redevoeringen, de wind van voren krijgen, ook van mensen die verstandelijk de kritiek wel konden onderschrijven.

Op zondag 3 september 1939 om 12.00 uur hoort heel Europa dat de Britse premier Chamberlain door de radio meedeelt: *'It's war!'*
Twee dagen tevoren was Hitler Polen binnengevallen, nadat hij over dit land een overeenkomst had gesloten met Stalin. Engeland en Frankrijk hadden een ultimatum gesteld, waarop geen antwoord was ontvangen. Polen viel in zeer korte tijd, maar de gehele winter door vonden er in het westen hoogstens een paar schermutselingen plaats. De Engelsen spraken van een *phoney war*. In april 1940 trekken de nazi's door Denemarken en veroveren zij Noorwegen en op 10 mei 1940 barst de strijd los in het wes-

ten. Nederland houdt het vijf dagen vol, België geeft zich op 28 mei over en op 22 juni capituleert Frankrijk. Alleen Groot-Brittannië gaat door.
Op 12 mei is het prinselijk paar naar Engeland vertrokken, de volgende dag verlaat ook de koningin het land. Nog heel laat in de avond van de 13e overlegde zij met de al eerder naar Engeland vertrokken minister van Buitenlandse Zaken mr. E.N. van Kleffens over een proclamatie, waarin de reden van het vertrek duidelijk wordt gemaakt. Vrijwel direct volgde er een boodschap van de koningin voor haar volk: 'Het is omdat de stem van Nederland niet moet, neen, niet mag worden gesmoord in deze dagen van beproeving van mijn volk, dat ik het ernstige besluit heb genomen het symbool van mijn volk, zoals het belichaamd is in mijn persoon en mijn regering over te brengen naar een plaats waar wij het gezag kunnen blijven uitoefenen als een levende en sprekende kracht.'
De regering had voorbereidingen getroffen voor een eventueel vertrek, maar in de oorlogsdagen was de communicatie zo slecht, dat de koningin feitelijk zonder overleg met het kabinet was vertrokken; dit had pas besloten ook naar Londen te gaan toen het hoorde dat de koningin het land had verlaten. Deze gang van zaken laat duidelijk zien, dat koningin Wilhelmina geen hoge dunk had van het kabinet onder voorzitterschap van jhr. mr. D.J. de Geer, al waren hierin op nadrukkelijke wens van de koningin voor het eerst socialisten opgenomen. De Geer zelf stortte vrijwel onmiddellijk in; hij geloofde niet in een nazi-nederlaag. Wilhelmina wilde hem kwijt, maar dit moest wel op een tactische wijze geschieden, teneinde geen verkeerde indruk te wekken bij de Engelsen. Op 3 september trad De Geer half-gedwongen, half-vrijwillig af. Wilhelmina had toen al opdracht gegeven tot kabinetsvorming aan mr. P.S. Gerbrandy, één van de ministers die met Churchill en Wilhelmina heilig overtuigd waren van de geallieerde zege. Gerbrandy zou tot na de bevrijding minister-president blijven.

Begin februari 1944 tikte koningin Wilhelmina een opinie over zichzelf; het was de bedoeling dat A.W.M. Ausems, die boven Nederland gedropt zou worden, deze opinie als komende van hemzelf zou vertellen in bezet gebied om na te gaan hoe de Nederlanders erop reageerden. Dit is niet doorgegaan, maar de tekst van Wilhelmina is bewaard.
'X heeft sterk de indruk gekregen dat de koningin door voortdurend voeling te houden met en zich te laten inlichten door uit Nederland overgekomenen, geheel met Nederland, zoals het vernieuwd is, medeleeft en ook geheel alles voelt, zoals men alles in vernieuwd Nederland aanvoelt. X heeft in Londen de indruk gekregen(ofwel het is hem verteld) dat er velen in Londen bepaald niet zijn meegegroeid met het nieuwe Nederland. Dus, dat bij al wat de koningin doet, zij met deze moeilijkheden te kampen heeft. Daarvan zal men zich in Nederland ter dege rekenschap moeten geven.'
(afgedrukt in *Wilhelmina in Londen 1940–1945* door Gijs van der Ham)

▲ *Bij haar jaarlijkse bezoek aan Amsterdam, eind september 1939, bezocht de koningin een schuilkelder aan het Weteringplantsoen en woonde zij oefeningen bij van de luchtbeschermingsdienst in het stadion. Ruim zeven maanden later zou blijken dat de voorbereidingen tegen de nazi-aanvallen niets hadden geholpen.*

Aanvankelijk was de verhouding tussen vorstin en premier uitstekend; zij beiden wortelden in de rechtlijnigheid die eigen is aan het calvinisme. Op den duur werd de verhouding minder goed; Gerbrandy was toch té anti-revolutionair om de vernieuwingsplannen van de koningin te aanvaarden en bovenal om haar streven naar een beslissender rol van de kroon in het staatsbeleid zonder meer te aanvaarden. In dit streven werd Wilhelmina gesteund door vooral rechtse elementen in de Nederlandse strijdkrachten – zowel door hen die in bezet gebied verbleven als door hen, die ontsnapt waren – en haar schoonzoon. Uiteraard is niet na te gaan in hoeverre Bernhards opvattingen over gezag hebben bijgedragen tot Wilhelmina's neiging de macht van de Kroon groter te maken.

Wij weten wel, dat Wilhelmina al in september 1940 sprak over 'de fouten, die in ons staatsbestel zijn ingeslopen' en 'de moed om daarin verandering aan te brengen'.

Archieven zijn niet open en ministers, die over 'Londen' gepubliceerd hebben, zorgen ervoor dat de onschendbaarheid van de koningin gehandhaafd blijft. Alleen uit min of meer privé-correspondentie van ministers blijkt dat de autoritaire instelling van de koningin hen hoog zat. Op een vraag van Meijer Sluyser, die een belangrijke rol had in de publiciteit uit Londen, aan Gerbrandy: 'Ziet u nog andere taken dan het winnen van de oorlog?' antwoordde de premier: 'Ja! Eén der hechtste stutten onder het Oranjehuis, zeker in onze verwarde tijd, is de ministeriële verantwoordelijkheid en de onschendbaarheid van ons staatshoofd. Kijk, al zou ik in Nederland terugkomen, zo zwart als een moriaan... H.M. de koningin moet sneeuwwit zijn. Ik geloof, dat ik het uitverkoren vat ben en dat het mijn taak is het scheepje straks aan de kant te leggen.' (Uit: Martin van Amerongen, *Over de doden niets dan goeds.*)

De onschendbaarheid van de koningin zou ook worden gehandhaafd door de parlementaire enquêtecommissie, die een onderzoek heeft ingesteld naar het doen en laten van de overheid in Londen.

Wilhelmina zelf moet wel hebben willen getuigen voor deze commissie, maar die heeft het haar niet gevraagd. In de vele lijvige delen van het verslag van de commissie komt maar één zin voor over de koningin. De commissie meent gerechtigd te zijn 'op één aspect van het optreden

▼ *In de oorlogsjaren is koningin Wilhelmina nader tot haar onderdanen in het gehele rijk komen te staan dan ooit te voren. Tot 1940 had zij een zeer spaarzaam gebruik gemaakt van de radio, maar direct na haar aankomst in Londen begreep zij dat deze techniek haar in staat stelde contact te houden met al haar onderdanen, met name met hen die in bezet gebied leefden. Wilhelmina bleek een zeer goed radiospreekster te zijn. In zeer korte tijd begreep zij, dat spreken via de radio anders moet geschieden dan het toespreken van een bijeenkomst en zij bouwde haar redevoeringen op de juiste wijze op. A. den Doolaard, die bij de BBC werkte voor de Brandaris (omroep voor zeelieden) en Radio Oranje, beschouwde haar als één van de beste radiosprekers van die tijd.*

▲ *Een foto van Wilhelmina in Londen, die als prentbriefkaart is uitgegeven ten einde de band tussen Oranje en Nederland te beklemtonen. De koningin bekijkt foto's van haar moeder, haar schoonzoon en het gezin van Juliana, die in 1943 in Canada gemaakt zijn.*

van koningin Wilhelmina in die oorlogsjaren te wijzen. Het is haar toch... vele malen gebleken, hoe de koningin in die jaren in den vreemde, de personificatie is geweest van het geknechte en strijdende Nederland, hoe de eerbied voor haar persoonlijkheid, die zij wist op te wekken, ons land ten goede is gekomen en hoe zij door haar onversaagdheid en onverzettelijkheid de krachtsinspanning van de landgenoten binnen en buiten bezet gebied telkenmale heeft weten op te voeren tot het peil, dat nodig was om de overwinning te behalen. Zij heeft daarmee het Nederlandse volk onschatbare diensten bewezen'. (Enquêtecommissie, 5a, pag. 8)

A. den Doolaard, die in 1941 in Londen aankwam en daar ging werken bij de Brandaris en Radio Oranje, heeft uiteraard de koningin goed leren kennen. Hij aarzelt niet te zeggen, dat de spreuk die de koningin na de oorlog aan Amsterdam gaf: 'Heldhaftig, vastberaden, barmhartig' voor haarzelf zou kunnen luiden: 'Heldhaftig, vastberaden, koppig'. Hij geeft daarvan voorbeelden. Soms heel onschuldig, zoals de keer dat de koningin vaststelde dat zij luid zou praten via de radio omdat het stormde en ze zich niet liet overtuigen dat het geluid technisch te regelen was. Soms politiek, als toen Wilhelmina maandenlang wachtte met de ondertekening van het regeringsbesluit de Sovjet-Unie officieel te erkennen, omdat zij de bolsjewieken de moord op de tsarenfamilie niet vergaf. Het besluit tot vestiging van een gezantschap in het Vaticaan heeft zij ook lang laten liggen. Den Doolaard belicht in zijn *Het leven van een landloper* (4de druk) uitvoerig de omstan-

▲ *In de jaren van haar ballingschap ontving koningin Wilhelmina alle Nederlanders die erin slaagden Londen te bereiken. Zij werden bij haar op de thee gevraagd. De koningin meende dat zij geheel op de hoogte was van de opvattingen in Nederland, doordat haar gasten hun verhaal hadden verteld en haar vele vragen hadden beantwoord.*

digheden die ertoe leidden dat de koppigheid en haar verlangen de zaken aan te pakken, wel eens moeilijkheden veroorzaakten. De koningin had door haar opvoeding en omgeving nooit echt met mensen omgegaan en zij had daardoor weinig mensenkennis. Zij wilde dat het gehele Nederlandse volk één was in de afkeer van de nazi's. Vroeg zij dit aan Engelandvaarders, dan sterkten die haar veelal in die overtuiging: je sprak immers de koningin niet tegen! Dus was het zo. De zeer vele illegale rapporten die haar in de loop van de oorlog bereikten, schoof zij soms terzijde als daarin iets stond wat haar niet zinde. Den Doolaard constateert dat het op het eerste gezicht verwonderlijk blijft dat de koningin ondanks haar grote schranderheid blind leek voor ingewortelde eigenaardigheden van ons volk. Hoe was het mogelijk dat zij de traditionele partijschappen en hokjesgeest als voorgoed overwonnen beschouwde?

In de herfst en winter van 1944-1945 ging Den Doolaard elke maand naar bevrijd gebied en dan moest hij telkens verslag uitbrengen aan de koningin. Hij verbaasde zich soms over haar bijna dweperige idealisme. 'Achteraf gezien' – gaat hij dan verder – 'geloof ik, dat zij zich ook vastklampte aan dit ideaalbeeld om haar leven op eenzame hoogte te kunnen volhouden. In elk leven spelen irrationele elementen een miskende rol. Haar geloof in de "eendrachtige volksgemeenschap" was even rotsvast, als het uit haar biografie blijkende geloof in een God, die iets bijzonders met Nederland voorhad. Maar Den Doolaard schrijft ook nadrukkelijk, 'het was met het bovenstaande echter uitsluitend mijn bedoeling om het gecompliceerde karakter van deze grote vrouw, die ik in Londen even oprecht als eerbiedig leerde liefhebben, te verduidelijken, voor zover dat mogelijk was.'

Hetzelfde kan men waarnemen bij

▲ *Het sprak min of meer vanzelf dat koningin Wilhelmina bij haar officiële bezoek aan Canada in de zomer van 1942 zou logeren bij de gouverneur-generaal van het Dominion of Canada, de graaf van Athlone. Diens vrouw prinses Alice was een volle nicht (cousine) van Wilhelmina. De foto toont de koningin tussen de Athlones tijdens een wandeling in hun park.*
In haar memoires vertelt prinses Alice hoezeer koningin Wilhelmina erop uit was niemand last te bezorgen. Zij wilde alles zelf regelen en bedisselen. Voor het doen van boodschappen wilde zij een taxi besteld hebben, terwijl er voldoende auto's met chauffeur in de gouvernementele garages voor haar gereed stonden.

anderen die in de oorlogsjaren in botsing kwamen met de koningin en die haar autoritaire neigingen beslist niet waardeerden. Ook zij hadden de koningin lief en respecteerden haar. Er is wel gesuggereerd dat zij in wezen een zielige figuur zou zijn, die door opvoeding en omstandigheden buiten de gewone samenleving moest blijven staan, hoe graag zij het anders had gewild. Wilhelmina heeft dit steeds met kracht en waarschijnlijk terecht ontkend. Op haar eigen manier had zij vooral dank zij haar Londense tijd contact gemaakt met de samenleving en zij meende te weten, hoe haar volk dacht.
Natuurlijk deed de koningin in Londen meer dan Engelandvaarders ontvangen, zich verdiepen in staatszaken en voor de radio spreken. Beter dan wie ook begreep zij dat zij de enige was die met enige kans op succes bij de grote mogendheden kon pleiten voor de Nederlandse zaak. Kort nadat de rijksdelen in de Oost in handen waren gevallen van de Japanners, besloot de koningin een grote reis te maken door Canada en de Verenigde Staten. Uiteraard wilde zij haar dochter en kleinkinderen zien, maar zij begreep ook de publicitaire waarde van zo'n reis voor de Nederlandse zaak. Op 17 juni 1942 vloog zij de oceaan over naar Canada, waar Juliana haar opwachtte.
Vrijwel direct na aankomst in Ottawa gaf de koningin een persconferen-

Prinses Alice, gravin van Athlone en vol nichtje van Wilhelmina, vertelt in haar memoires *For my grandchildren* over het vertrek van de Nederlandse koningin na de nazi-invasie, iets wat volgens haar nooit zou mogen worden vergeten. 'Het werd me verteld door een luitenant van de onderzeebootjager, waarmee zij naar Engeland kwam. Zijn schip had heel zwaar weer gehad voor de kust; de kapitein meerde voor Hoek van Holland af om een paar uur rust te hebben. Hij wilde een bad nemen, al zou het zijn laatste zijn. Hij zei tegen de luitenant dat hij onder geen voorwaarde mocht worden gestoord. Op dat ogenblik kwam koningin Wilhelmina op de loopplank af en vroeg om weggebracht te worden. De luitenant rende naar zijn kapitein, die weigerde hem au sérieux te nemen en riep: "Verdwijn, aan die onzin heb ik geen enkele behoefte." Het kostte de luitenant veel moeite de kapitein te overtuigen dat het geen onzin was. Deze draafde naar de wal om de koningin aan boord te brengen. Rechtop zat zij in het dekhuis. Ze zei: "Ik neem aan, dat dit bomvrij is?" De kapitein sprak haar niet tegen, maar vroeg haar een helm te dragen, die zij op haar hoed zette en de hele reis ophield.'

▲ *Koningin Wilhelmina wordt op 5 augustus 1942 bij haar officieel bezoek aan Washington D.C. begroet door president en mevrouw Roosevelt. De president, die als gevolg van kinderverlamming zijn benen moeilijk kon gebruiken, ontving de Nederlandse koningin toch staande, om te laten blijken hoeveel respect hij voor haar had.*

tie, waarbij de graaf van Athlone en prinses Alice haar vergezelden. Wilhelmina begreep natuurlijk dat men op het westelijk halfrond anders aankeek tegen 'kolonialisme' dan in West-Europa. Het eerste dat zij dan ook deed, was de verslaggevers erop wijzen dat Nederland geen 'koloniaal' imperium had. De Nederlandse grondwet – zo zei ze – kent het begrip 'kolonie' niet. 'Er zijn uitsluitend samenstellende delen van het koninkrijk.' De koningin moet beseft hebben dat een dergelijke uitspraak door journalisten met de nodige korreltjes zout zou worden genomen, maar zij bleef bij dit standpunt. De koningin was er zeer op gebrand met Roosevelt te spreken over hulp aan bezet gebied en over de toekomstige verhouding tot de rijksdelen in Azië. Franklin D. Roosevelt, trots op zijn Nederlandse afstamming, had groot respect voor Wilhelmina. Hij bracht haar vrijwel onmiddellijk na haar aankomst in Canada een bezoek en hij bood haar gastvrijheid aan tijdens haar officiële bezoek aan de Verenigde Staten. Maar Roosevelt verstond ook de kunst belangrijke onderwerpen te vermijden, als hij de bespreking daarvan niet opportuun vond. Dat zou ook koningin Wilhelmina ervaren; zij had een aantal gesprekken met de Amerikaanse president, maar de volgens haar essentiële zaken kwamen niet aan bod.

Zij kan uiteraard wel een aantal dingen zeggen, als zij, als eerste buitenlands staatshoofd, op 6 augustus 1942 de beide Huizen van het Amerikaanse Congres toespreekt. De ko-

Op 6 juli 1942 sprak koningin Wilhelmina als eerste buitenlands staatshoofd de verenigde vergadering van het Amerikaanse Congres toe. De koningin was over haar bezwaren van een vliegreis heengestapt, omdat zij naar haar dochter in Canada wilde, maar ook omdat zij in Canada en de Verenigde Staten wilde pleiten voor spoedige en veelomvattende hulp aan het bezette Nederland. Deze punten, die zij bij Roosevelt met klem moet hebben aangekaart, kwamen in haar Congres-rede niet tot uiting. Die droeg een veel meer politiek karakter. Wat wel ter sprake kwam was de 'rijkseenheid' – het verband tussen Nederland en de overzeese gebieden – die in de gedachtenwereld van de koningin moest blijven bestaan, al was de tijd van het kolonialisme voorbij.

ningin presenteert zich als 'de zegsvrouw van mijn land, niet alleen van de negen miljoen mijner landgenoten in Europa, maar ook van de ongeveer zeventig miljoen in Azië en op het westelijk halfrond'. Zij brengt vanzelfsprekend de verhouding tussen de rijksdelen ter sprake, maar meer aandacht krijgt de herinnering aan de oude 'wapenbroederschap' tussen Nederland en de Verenigde Staten in de dagen van George Washington. 'Het doet mij genoegen eraan te herinneren, dat de eerste saluutschoten voor de Amerikaanse vlag namens een vreemde regering werden gelost door Nederlandse kanonnen.' En zij eindigt: 'Benjamin Franklin schreef aan John Adams, uw eerste gezant in Den Haag: ik geloof dat noch Holland noch wij ooit zijn vrienden in de steek zouden laten. Daarom was het ons alsof wijzelf getroffen werden, toen de eerste Japanse bom op Pearl Harbour viel.' Nederland was ook het eerste land dat zich in oorlog met Japan had verklaard na die aanval.

Ik zal gaarne kennis nemen van de mededeelingen welke de afgezant van de groep Luctor et Emergo zal doen en daarna overwegen of er al of niet eenige verandering in den tekst van mijn antwoord aan het Nationaal Comité zal moeten komen.
Mijn standpunt is U bekend; ik wensch voor den duur van het vacuum en in afwachting van de benoeming van een definitief nieuw kabinet personen in Nederland te benoemen tot een noodkabinet. Of ik ~~daarbij~~ of niet een of meer van de thans zittende ministers verzoek lid te worden van het noodkabinet, doet tot mijn standpunt niets af.
W

In een brief aan minister-president Gerbrandy die hij 3 april 1943 ontving, schrijft Wilhelmina dat zijzelf na de oorlog de belangrijke beslissingen wil nemen.

Op 15 augustus verschijnt een zeer vermoeide koningin voor het laatst in het openbaar, als zij op het vliegveld van Pittsfield (Mass.) door 10 000 mensen wordt toegezongen.
Als zij eind augustus weer terug is in Engeland, knapt zij af. De doktoren weten dat zij geen absolute rust moeten voorschrijven, omdat de koningin zich daaraan toch niet zal houden. Zij moet wel beloven het zes weken op halve kracht te doen. Een jaar later zou de koningin nog eens de oceaan oversteken, maar toen gold het bezoek vooral haar dochter en drie kleinkinderen. Op 28 mei 1943 was zij bij de doop van prinses Margriet aanwezig. Natuurlijk bezocht zij in die tijd Roosevelt, maar die bezoeken bleven beperkt tot een intieme kring.
Wilhelmina heeft het einde van de oorlog steeds heel spoedig verwacht; zij was dan wel niet met Kerstmis 1941 weer thuis geweest, maar hoopte dat in 1942 wel te zijn! Het zou tot 13 maart 1945 duren voor zij in een zwaar gepantserde auto van opperbevelhebber Eisenhower een tiendaagse tocht door het bevrijde zuiden zou beginnen. Tot die tijd hielden koningin en kabinet zich veel bezig met de organisatie van het staatsbestel onmiddellijk na de bevrijding. De opvattingen van koningin en ministers gaan steeds verder van elkaar afwijken. Bij de koningin domineerden wensdromen gestaag meer. In 1942 noemt zij het Nederlandse volk 'één groot gezin', een jaar later belijdt zij 'haar geloof in Nederland dat onsterfelijk is en door alle eeuwen heen zal leven'. In mei 1944 is het 'een heldenvolk'. De ministers delen eerder de mening van het Vaderlands Comité, de illegale organisatie van vooraanstaande Nederlanders, die via dr. W. Drees aan Londen bericht: 'Angst, gebrek aan durf en fierheid, bekrompen koopmansberekening en eigenbelang, duidelijk gebrek aan sociale zin en gemeenschapsliefde, maken het onwaarachtig het Nederlandse volk als geheel te canoniseren als stijl- en karaktervol in de bewaring en de verdediging van zijn heiligste deugden en edelmoedigste nationale gevoelens.'

▶ *Voor de doop van Margriet waren koningin Wilhelmina en prins Bernhard naar Ottawa overgekomen. De gelegenheid werd ook gebruikt om een gezinsfoto te laten maken voor de wereldpers. Voor zover ons bekend is deze foto niet illegaal in Nederland verspreid.*

▼ *Op 9 september 1944 verwelkomt koningin Wilhelmina in Londen haar dochter, die uit Canada is overgekomen: de geallieerde overwinning is immers heel spoedig te verwachten en dan moeten de Oranjes meteen voet op vaderlandse bodem zetten. Het mislukken van de slag om Arnhem maakte dat het tot de zomer van 1945 zou duren, eer de volledige koninklijke familie weer thuis was.*

▲ *Op 13 maart 1945 zette koningin Wilhelmina na bijna vijf jaar weer voet op Nederlandse bodem en wel in Zeeuws-Vlaanderen, bij Sluis, waar zij met toegestroomde inwoonsters sprak. De reis, in een gepantserde auto van Eisenhower, ging door de bevrijde gedeelten van Nederland. De reis duurde tien dagen.*

▲ *Bij haar tiendaagse tocht door Nederland in maart 1945 bezocht de koningin ook de mijnstreek in Limburg. Zij deed een krachtig beroep op de mijnwerkers om hun beste krachten te geven, want, zo zei zij tegen hen, de aan de oppervlakte gebrachte kolen zijn nu echt bestemd voor het Nederlandse volk, al is het voorlopig nog alleen voor het zuiden van het land.*

Het gevolg is dat de koningin steeds meer haar eigen weg gaat en alles in het werk stelt om direct na de bevrijding een nieuw kabinet te vormen, dat eigenlijk alleen zou moeten bestaan uit ex-illegalen. De ministers begrijpen dat een dergelijk kabinet van mensen, wier namen de geallieerden niets zouden zeggen en die niet exact op de hoogte waren van de gedragslijnen die het geallieerde opperbevel volgde, niet gewenst zou zijn.

De koningin achtte het onmogelijk het parlement dat er in 1940 was geweest, weer te laten optreden, want de leden daarvan vertegenwoordigden de oude partijen en waren geen 'vernieuwde Nederlanders'. Minister Van den Tempel schrijft in zijn *Nederland in Londen* (Haarlem, 1946), dat een hooggeplaatste, zeer koningsgezinde Nederlander tegen hem gezegd had dat de koningin bij haar terugkeer in Nederland niet naar het paleis moest rijden, maar regelrecht naar een verenigde vergadering van de Staten-Generaal (waaruit uiteraard de NSB-ers zouden worden geweerd). Het was een mening, die in principe door vele Londense Nederlanders werd onderschreven.

▲ *Op 20 november 1945 opende koningin Wilhelmina, vergezeld door haar dochter en schoonzoon, de zitting van de Staten-Generaal. De rit werd gemaakt in auto's die begeleid werden door leden van de binnenlandse strijdkrachten, gekleed in blauwe overalls.*

▲ *American Women's Clubs zijn belangrijke instellingen, zo ook Junior Women's Clubs. Junior Clubs uit Oregon maakten direct na 1945 een groot aantal poppen en vroegen de Amsterdamse Vrouwenclub die aan prinses Juliana aan te bieden, met de bedoeling dat ze verkocht zouden worden voor de wederopbouw. Hier poseert de prinses met de Amerikaanse poppen.*

Het zou allemaal anders lopen dan men zich had voorgesteld, doordat Nederland bij stukjes en beetjes werd bevrijd. Het werd zo, dat het kabinet-Gerbrandy op 26 mei 1945 aftrad en werd opgevolgd door een kabinet Drees-Schermerhorn. Er werd ook een compromis bereikt over het parlement: de leden die er in 1940 deel van hadden uitgemaakt (zonder NSB-ers en notoire pro-nazi's en uiteraard zonder degenen die intussen overleden waren) keerden terug. De opengevallen plaatsen werden door de partijen aangevuld. Die kozen daarvoor bij voorkeur mensen die in het verzet hadden gezeten.

Op 20 november opende de koningin de zitting van het parlement. Volgens haar was het de mooiste opening die zij ooit had meegemaakt. Zij ging per auto naar het Binnenhof en het escorte werd gevormd door leden van de binnenlandse strijdkrachten in de blauwe overalls, die hun tot uniform dienden. De verkiezingen van 1946 leverden een Tweede Kamer met afgevaardigden van de oude partijen, die soms een andere naam hadden gekregen.

▲ *In 1946 bracht Sir Winston Churchill een officieel bezoek aan Nederland; de koningin ontving de Britse regeringsleider ook in Amsterdam, waar zij op het balkon van het paleis verschenen. Wilhelmina en Churchill hadden groot respect voor elkaar; zij beiden zijn er altijd van overtuigd gebleven dat de nazi's het onderspit moesten delven.*

Bij de teleurstelling die de koningin moest verwerken over het uitblijven van de vernieuwing kwam ook de gang van zaken in de gebiedsdelen in Azië. Japan capituleerde op 15 augustus 1945; op 17 augustus riep Sukarno de onafhankelijke republiek Indonesia uit. Op dat ogenblik was er in heel Nederlands-Indië geen militaire of burgerlijke gezagsdrager om de leiding van enig bewind te nemen. Nederland had wijzigingen willen brengen in de verhouding tot 'de Oost'; koningin en regering in Londen waren ervan uitgegaan dat Indonesië in enigerlei vorm wel zelfstandig zou worden, maar dat er een band zou blijven met Nederland in de vorm van een 'gemenebest'. De al veel langer bestaande onafhankelijkheidsbeweging onder leiding van Sukarno en Mohammad Hatta had echter van de Japanners alle kansen gekregen een volledige onafhankelijkheid voor te bereiden. Het ging minder vlot dan zij gedacht hadden. Indonesië is groot en het omvat vele volkeren met eigen gewoonten.

De gedachte aan een republiek had wortel geschoten op Java en Sumatra, op andere eilanden bestonden andere verlangens. Nederland weigerde aanvankelijk met Sukarno en de zijnen te onderhandelen, maar het kon die houding niet volhouden. Op 15 november 1946 werd er in Linggadjatti op Java een overeenkomst getekend; de Verenigde Staten van Indonesië werden door Nederland erkend; zij van hun kant zouden een Unie met Nederland aangaan. Ook dit liep mis. Op 21 juli 1947 gaat Nederland wapengeweld gebruiken om

◀ *Op 27 december 1949 tekenden koningin Juliana en premier W. Drees met de Indonesische vice-premier Mohammad Hatta en minister Sharir in het paleis op de Dam de stukken, waarin de souvereiniteitsoverdracht van Indonesië werd geregeld.*

vastere voet op Java en Sumatra te krijgen. Het wapengeweld duurt niet lang, want de Veiligheidsraad roept op tot staking van alle vijandelijkheden. Er volgt nog een tweede politionele actie, van 18 tot 24 december 1948. Na veel palaveren, ook onder leiding van de Verenigde Naties, is het op 27 december 1949 zover dat Nederland de volledige onafhankelijkheid van Indonesië erkent. De overeenkomst wordt gelijktijdig getekend in Amsterdam en Djakarta; in Amsterdam gebeurt dit o.a. door koningin Juliana en Mohammad Hatta. Het was inmiddels geen zaak meer van Wilhelmina.

Al tijdens de oorlog had Wilhelmina meer dan eens gezegd dat zij na de bevrijding wilde abdiceren; de ontwikkelingen hadden haar verlangen hiernaar alleen maar vergroot. In Londen had zij nauwelijks willen toegeven dat haar leeftijd zich ging laten merken. In het najaar van 1947 moest Juliana enige tijd optreden als regentes; dat zou zij van 12 mei tot 30 augustus 1948 opnieuw zijn. Op 12 mei 1948 maakte Wilhelmina bekend dat zij wilde abdiceren. Als het aan haar had gelegen, had zij dit gedaan voordat zij een halve eeuw op de troon had gezeten, maar zij had zich laten overtuigen dat zij dit het Nederlandse volk, dat zich al druk aan het voorbereiden was op een grootscheepse huldiging, niet kon aandoen. Op 30 augustus aanvaardde zij nog even het bewind; op haar verjaardag was zij het middelpunt van een huldiging in het Amsterdamse stadion en maakte zij nog één keer een rondrit door de hoofdstad. Op zaterdag 4 september tekende zij in de Mozeszaal van het paleis op de Dam haar acte van afstand, in tegenwoordigheid van Juliana en Bernhard, ministers en andere hooggeplaatsten. Om klokslag twaalf uur verschenen Wilhelmina en Juliana op het balkon. Wilhelmina kondigde haar afstand aan en riep: 'Lang leve de koningin!' Zij stak daarbij haar gebalde vuist bezwerend omhoog, alsof zij wilde zeggen: en jullie zijn aardig voor haar!

Juliana was koningin geworden op het ogenblik waarop Wilhelmina de a van haar naam zette. Als eerste regeringsstuk tekende zij het besluit waarbij haar moeder wegens haar verdiensten in de oorlog het ridderkruis eerste klas in de Militaire Willemsorde werd toegekend.

De inhuldiging vond diezelfde middag plaats. Zoals van de jonge koningin te verwachten was, had zij haar kleding zeer zorgvuldig overwogen; onder het rood van de kroningsmantel met het witte hermelijn droeg zij een sobere blauwe japon; de kleuren van de vlag.

Er waren drie verschillen met de inhuldiging van haar moeder: de koningin kwam hand in hand met haar man naar de kerk, waar haar moeder, schoonmoeder en haar oudste twee dochters zaten. Het grootste verschil was wel, dat de voorzitter van de Verenigde Vergadering van het parlement, professor mr. R. Kra-

▶ *4 september 1948. Juliana is zojuist koningin geworden. Haar moeder kondigt dit de duizenden op de Dam persoonlijk aan. Aan het slot steekt zij haar gebalde vuist omhoog en roept: 'Lang leve de koningin.' Wie het gebaar zag, ervoer het als een soort bezwering: 'Jullie behandelen de nieuwe koningin goed.'*

▼ *Tijdens de plechtigheid van haar inhuldiging lijkt de nieuwe koningin even behoefte te hebben aan een bemoedigend knikje van haar man.*

◀ In de nacht van 31 januari op 1 februari 1953 werden de eilanden in het zuidwesten van Nederland, maar ook andere gebieden, getroffen door een overstromingsramp die aan ongeveer 2000 mensen het leven zou kosten. De materiële schade was onvoorstelbaar. Mede dankzij veel hulp uit het buitenland kon deze hersteld worden. Het gevolg van de ramp was ook het Deltaplan, waardoor de beveiliging van vooral Zeeland kon worden vergroot.
Koningin Juliana was al op 1 februari in Zeeland, waar zij de zwaarst getroffenen bezocht. Als zij naar haar auto teruggaat, merkt zij dat er nog ergens een huis is dat zij niet heeft bezocht; ook daar gaat zij heen.

nenburg, in een rede de afgetreden koningin hulde bracht, voordat hij als eerste de eed aflegde.
Uit Juliana's rede zijn twee zinnen algemeen bekend gebleven. De eerste: 'Sedert eergisteren ben ik geroepen tot een taak, die zo zwaar is, dat niemand die zich daarin ook maar een ogenblik verdiept heeft, haar zou begeren, maar ook zo mooi, dat ik alleen maar zeggen kan: wie ben ik dat ik dit doen mag?' De tweede: 'Ik wil hier met nadruk vaststellen, dat voor een koningin haar taak als moeder even belangrijk is als voor iedere andere vrouw.'
Uit de eerste zin blijkt dat koningin Juliana iets anders stond tegenover de nog altijd gebruikte aanduiding 'koningin bij de gratie Gods' dan haar moeder. Wilhelmina is de laatste Nederlandse vorstin geweest, voor wie de gratie van God inhield dat zij tot het koningschap was voorbestemd dank zij de genade van de Allerhoogste. Juliana acht het een taak die niemand zou begeren en vraagt zich af waarom zij dit mag doen. Beatrix zal de opdracht nuchterder aanvaarden; zij is koningin bij de gratie Gods, zo goed als de timmerman of de arts, als het goed is en als hij gelooft, ervan uitgaat dat hij zijn werk verricht dank zij de genade van God.

Na de feestelijkheden in Amsterdam maakte het jonge koninklijke paar een snelle rondreis door alle provincies, die eindigde in Den Haag. Daarna begon voor Juliana de routine van haar werk. Voor zover zij het nog niet wisten, ervoeren de ministers dat de jonge vorstin over veel zaken anders dacht dan haar moeder.
Direct na de bevrijding was een begin gemaakt met de zuivering en de berechting van oorlogsmisdadigers. Er was een aantal doodvonnissen geveld. Wilhelmina had zonder enige aarzeling gratieverzoeken afgewezen. Juliana dacht anders over de doodstraf, zij was daar overtuigd tegen en zij weigerde dan ook haar sanctie te geven aan executies, o.a. van de vier van Breda. Veertig jaar later zou dit nog tot beroering leiden toen de twee van Breda, die aanvankelijk ter dood waren veroordeeld maar levenslang hadden gekregen, werden vrijgelaten.

Wilhelmina had moeite gehad met de ontwikkelingen in de verhouding tussen Nederland en Indonesië; voor Juliana was dit helemaal geen probleem. Voor haar sprak het vanzelf dat dit gebiedsdeel zijn onafhankelijkheid zou krijgen. De woorden die zij op 27 december 1949 bij de onder-

▶ *Koningin Juliana tekent de stukken die de directeur van het kabinet der koningin, dr. Marianne Tellegen, haar heeft voorgelegd. Die stukken bevatten het Unie-Statuut, waarbij de verhouding tussen Nederland, Suriname en de Antillen wordt geregeld (15 december 1954).*

tekening van de beslissing sprak waren overduidelijk, evenals de wijze waarop zij daarna vice-president Mohammad Hatta gelukwenste, zij was dankbaar voor deze beslissing.
Met evenveel overtuiging zou zij op 15 december 1954 het Statuut van het Koninkrijk tekenen, waarin Nederland, Suriname en de Nederlandse Antillen hun verhouding regelden. Op 25 november 1975 werd de republiek Suriname onafhankelijk, nadat de koningin de 'acte van erkenning' had getekend.
Gedurende haar gehele leven heeft voor Wilhelmina Nederland centraal gestaan. Dat was voor haar het belangrijkste. Al in haar studententijd was Juliana er anders over gaan denken en vooral tijdens haar verblijf in Canada was het voor haar heel duidelijk geworden dat er een Verenigd Europa moest komen. In de zeer vele redevoeringen die zij in binnen- en buitenland hield, kwam dit thema telkens weer terug, net zo goed als haar geloof dat er veel meer aan de vrede moest worden gewerkt. Later zou worden gezegd, dat de Hofmanskring haar sterk had beïnvloed in deze richting, maar in principe was het al veel eerder Juliana's overtuiging. Haar ministers hadden het daardoor soms niet gemakkelijk; het was de tijd van 'de koude oorlog', waarin de NAVO en het Pact van Warschau scherp tegenover elkaar stonden.
Als Juliana en Bernhard in 1952 een staatsbezoek brengen aan de Verenigde Staten, houdt de koningin vijfenzestig lange – soms zeer lange – toespraken, waaronder er één tot het Amerikaanse Congres en één die zij op 4 april 1952 uitsprak bij het driejarig bestaan van de NAVO. Die redevoeringen hebben de toenmalige minister van Buitenlandse Zaken, mr. D.U. Stikker, heel wat kopzorgen gegeven. Hij was uiteraard verantwoordelijk voor alles wat de koningin zei. Hij heeft soms veel moeten praten, voordat de koningin erin toestemde bepaalde passages te wijzigen, die al te zeer ingingen tegen de in die dagen geldende opvattingen in de Verenigde Staten en in West-Europa. Tot de NAVO zei de koningin o.a.: 'Het Atlantische pact mag niet negatief zijn; dit zou immers slechts kunnen beduiden: wij wensen oorlog, maar het moet iets positiefs betekenen: wij willen vrede scheppen.'
Ook in Nederland werden hier en daar wenkbrauwen hoog opgetrokken bij het horen van deze en soortgelijke uitspraken. Maar de 'gewone Nederlander' voor zover die kennis nam van de toespraken (er was nog nauwelijks televisie) vond het prachtig, dat zijn koningin op de bres stond

▲ *Tijdens een staatsbezoek aan de Verenigde Staten in 1952 sprak de koningin het Congres toe (op 3 april), zoals haar moeder het tien jaar eerder als eerste staatshoofd had gedaan. Door sommigen werd Juliana's rede te vredelievend gevonden.*

voor vrede en samenwerking.
Of Juliana later niet eens geglimlacht heeft, als zij merkte hoe haar ideeën van toen ingang vonden? Wat Europa betrof, begon dit al snel en sinds Gorbatsjov horen wij zelfs uit Rusland geluiden die zij al veel eerder heeft laten horen.
In eigen land leefde Juliana uiteraard sterk mee met de wederopbouw, die mede dank zij de Amerikaanse Marshall-hulp zeer vlot verliep. De twee terreinen die de koningin tijdens haar gehele regering het meest bezighielden waren: jeugd en sociaal werk. Ettelijke malen heeft zij, ook tijdens staatsbezoeken, speciaal de jeugd toegesproken, want die moest vrede en gerechtigheid tot stand brengen en de verantwoordelijkheid op zich nemen voor de nieuwe ene wereld. Op Soestdijk heeft zij meer dan eens groepjes jongeren uitgenodigd om met hen te discussiëren over de toekomst, waarbij de jongeren haar soms meer weerwerk gaven dan ouderen plachten te doen. Toen in Nederland de nozems en later de provo's zich begonnen te roeren, heeft de koningin in Amsterdam een bijeenkomst georganiseerd waar dr. W. Buikhuizen duidelijk probeerde te maken, waarom jonge mensen in verzet kwamen tegen de gevestigde orde en geldende opvattingen. Raadgevers van de koningin waren niet zover gegaan, dat zij haar hadden voorgesteld om Roel van Duyn, het brein achter provo, als spreker uit te nodigen. Natuurlijk hebben provo's en vooral meelopers dingen gedaan die de koningin niet kon goedkeuren, maar het wegebben van het jeugdprotest heeft haar vermoedelijk geen deugd gedaan.

Gedurende de eerste tien jaar van Juliana's bewind waren er kabinetten onder leiding van dr. W. Drees. De koningin en de premier lagen elkaar goed. Jarenlang heeft een foto van Drees, die werd geflankeerd door een foto van coalitiegenoot Beel, op het bureau van de koningin gestaan. De koningin moest tot elke prijs vermijden dat zij van partijdigheid kon worden verdacht. Toch staat het wel vast

dat de gehele sociale wetgeving uit de tijd van de kabinetten-Drees haar instemming had. Sinds haar studententijd had haar gevoel voor sociale rechten zich ontwikkeld tot die van een verlangen ernaar, dat men sociale rechten zou hebben en niet op gunsten zou zijn aangewezen, zoals dat in de jaren dertig nog het geval was geweest.
De koningin beperkte zich echter allerminst tot het tekenen van sociale wetten, het gehele sociale werk had haar aandacht. Talloos zijn de bezoeken die zij aan kinder- en bejaardentehuizen heeft gebracht, evenals aan vele andere instellingen van gezondheids- en welzijnswerk. Zij heeft talloze gesprekken gevoerd met de bewoners of verpleegden en met de verzorgers die het werk deden. Bij die bezoeken heeft Juliana het meer dan eens aan de stok gehad met persfotografen; zij wilde zich concentreren op degenen die zij bezocht om hun iets mee te geven. Dat kostte haar vaak veel inspanning en dan kon zij het geflits niet velen. Zij besefte echter ook wel, dat haar functie met publiciteit gepaard moest gaan en zij bedacht de oplossing: 'Laat me nu eerst ongestoord mijn gang gaan, dan wil ik na afloop best even doen alsof ik met bewoners of patiënten praat. En dan kunnen er foto's gemaakt worden.' Toneelspelen kán Juliana!
Allengs veroorlooft de koningin zich meer vrijheden bij haar werkbezoeken. Op 21 januari 1971 is zij een dag in Amsterdam. Zij zal een aantal

◀ *Bij een werkbezoek aan stadsvernieuwingsgebieden in Amsterdam nam koningin Juliana ook huizen in ogenschouw waar zij niet werd verwacht; zij wilde de werkelijkheid zien.*

Een van de moeilijkste beslissingen die Juliana als koningin heeft moeten nemen, was in 1966 die over de vrijlating van Willy Lages. Lages zat met Kotälla, Fischer en Aus der Fünten gevangen in Breda. In 1947 was het viertal ter dood veroordeeld; het had gratie gevraagd.
Tot 1952 werd op dit verzoek niet gereageerd; toen echter stelde minister van Justitie Donker voor het verzoek af te wijzen. Koningin Juliana was in principe tegen de doodstraf, maar zij had in het begin van haar bewind toch de afwijzing van enkele gratieverzoeken ondertekend. Toen het verzoek van de vier van Breda om gratie haar werd voorgelegd samen met de beslissing van de regering dat het werd afgewezen, weigerde zij te tekenen. Zij achtte het onmenselijk mensen te executeren die vijf jaar hadden moeten wachten op de behandeling van gratie-verzoeken. De doodstraf werd omgezet in levenslange gevangenisstraf zonder de kans van 'op jaren stellen'.
In 1966 werd Lages, naar het leek, dodelijk ziek; het kabinet zag hierin een kans hem te laten gaan. Hij werd als ongewenste vreemdeling aan de Duitse politie overgedragen. Hij heeft nog jaren geleefd.
Toen is, als gevolg van de algemene verontwaardiging over deze gang van zaken, beslist, dat als één van de anderen ook op sterven zou liggen, de regering een onafhankelijke vertrouwensarts zou inschakelen. Die vertrouwensarts werd dr. Hans Hers, die zelf van de eerste dag na de capitulatie tot zijn gevangenneming in het verzet had gezeten. Na de bevrijding kwam hij pas terug. Dr. Hers heeft nu bekend gemaakt dat hij Kotälla, toen hem bericht werd dat deze op sterven lag, heeft laten inslapen door het staken van toediening van medicijnen die de patiënt toch uitspoog. Hij heeft na de vrijlating van Aus der Fünten en Fischer de gehele gang van zaken bekend gemaakt.

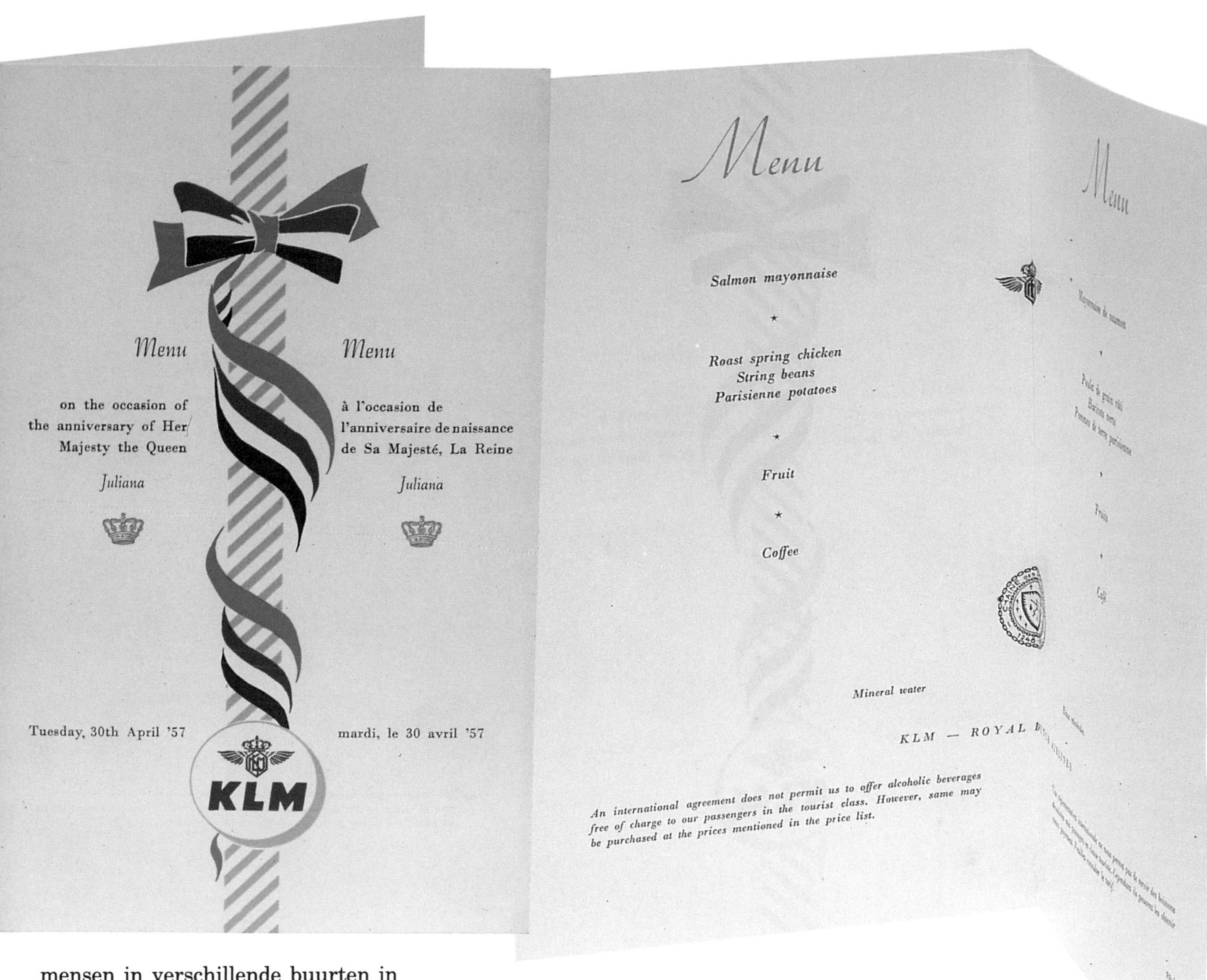

▲ *Ooit serveerde de KLM op intercontinentale vluchten speciale menu's met bijbehorende menukaarten op Koninginnedag. Hier ziet u kaart en menu uit 1957. In 1960 kwam er een eind aan deze traditie; het steeds toenemende aantal passagiers maakte het onmogelijk.*

mensen in verschillende buurten in hun eigen huis bezoeken. Zo zal zij gaan naar de Kinkerbuurt, de Walletjes en de Bijlmer. Kort tevoren hadden bewoners van de Bijlmer de koningin geschreven om te klagen over de stank in de afvalkokers van de flats. Een bezoek aan hun flatgebouw stond niet op het programma, maar de koningin liet zich erheen rijden om zelf te kunnen vaststellen, hoe hinderlijk de stank was. Ook in de Kinkerbuurt belde zij bij een ander huis aan dan waar zij verwacht werd. Zij ging ervan uit dat, als de koningin op bezoek zou komen, er wel het een en ander zou zijn opgeknapt aan een woning. Zij wilde echter de werkelijkheid zien en dus belde zij elders. Natuurlijk ging zij daarna ook naar de gezinnen toe die haar verwacht hadden.

In de loop der jaren heeft Juliana zich een hoeveelheid kennis van het maatschappelijk werk verworven, waarvan de mensen die op dat terrein werkzaam zijn, soms verstomd staan. In 1964 kreeg zij, zoals gezegd, een ere-doctoraat sociale wetenschappen van de Universiteit Groningen, maar dit doctoraat had haar ook kunnen worden toegekend na normale tentamens.

De koningin wilde sociale rechten voor iedereen, maar daarnaast was en is het haar diepste overtuiging dat medemenselijkheid en naastenhulp heel belangrijk zijn. Na haar abdicatie heeft zij eens gezegd: 'Op het ge-

SPELREGELS: A. Aan het Oranje-spel kan door een onbeperkt aantal personen worden deelgenomen. B. Iedere deelnemer betaalt als inzet 5 fiches, daarna bepaalt men wie het eerst zal spelen. Wie het hoogst aantal ogen werpt, (met 2 dobbelstenen) speelt. C. Wie door een speler wordt ingehaald, gaat op diens plaats terug. D. Wie het eerst op No. 78 (40-jarig Regerings-jubileum H.M. de Koningin) komt, heeft gewonnen.

Komt men boven 78, dan moet men evenveel nummers van 78 terug tellen, als men er boven is. Men speelt dan weer gewoon door. Komt men één der gemerkte nummers tegen, dan gelden de volgende regels: 5: 1533. Prins Willem geboren, 2 fiches uit de pot; 11: 1574. Leiden ontzet. Het ontvangt als beloning een hogeschool, 2 fiches uit de pot; 18: 1584. Prins Willem I vermoord, 2 x beurt voorbij laten gaan; 25: 1600. Slag

bij Nieuwpoort, door na
3 fiches betalen; 40: 162
Koning Willem III sterft;
en Nederland herenigd.
De Prins van Oranje bij

◀ *Bij het veertigjarig jubileum van Wilhelmina verscheen er een Oranjespel met historische figuren en een vaderlandse geschiedenis in een notedop. De spelregels staan geheel onderaan vermeld. Het is niet onwaarschijnlijk dat dit spel tijdens de oorlogsjaren binnenskamers is gespeeld.*

bied van vrijwilligerswerk gebeurt er veel te weinig in Nederland. Er zijn zoveel mensen van boven de vijfenzestig, die nog heel fris zijn en veel kunnen doen voor anderen zonder betaling. De beloning daarvoor is het heerlijke gevoel, dat je je produktief maakt, dat je gewenst bent.'

Evenals vele anderen ontvangen vorsten bij kroonjaren en jubilea geschenken. Bij de Oranjes is het traditie dat zij de geldbedragen die als nationaal geschenk worden ingezameld, bestemmen voor een 'goed doel'. Dit deed Juliana ook. Bij het zilveren huwelijksfeest van het koninklijke paar in 1962 bestemden koningin en prins het geld van de nationale inzamelingsactie voor twee jeugdcentra. De terreinen voor die centra hadden zijzelf geschonken; de exploitatie moest mogelijk gemaakt worden met het kapitaal dat was ingezameld. Het geld dat de koningin ontving bij haar vijfentwintigjarig regeringsjubileum bestemde zij voor 'het kind in nood, waar ook ter wereld'. Deze schenking kan gezien worden als vervolg op een initiatief van Juliana, die in september 1966 het Nederlandse Kinderhulpplan had gelanceerd, als wetenschappelijk onderdeel van de internationale bestudering van kinderzorg als onderdeel van welk ontwikkelingsplan dan ook.

Ook bij haar zeventigste verjaardag ontving de koningin een nationaal geschenk in geld, dat zij bestemde voor het Internationale Jaar voor het Kind.

Er kwamen wijzigingen in de contacten tussen de koningin en haar ministers. Al tijdens het eerste kabinet Drees werd er een speciale telefoonlijn aangelegd, waardoor de minister-president rechtstreeks de koningin

▶ *Suriname wordt onafhankelijk. Op 25 november 1975 tekenden koningin Juliana en haar ministers de betreffende stukken.*

aan de lijn kon krijgen, zonder tussenkomst van enig ander. Van meet af aan heeft Juliana erop gestaan dat zij de volledige notulen van de kabinetsvergaderingen kreeg en niet in hoofdzaak de besluiten. Zij wilde weten hoe men tot die besluitvorming was gekomen. In 1969 werd het contact nog nauwer, vanaf die tijd brengt de premier wekelijks een bezoek aan de vorstin om haar volledig over lopende regeringszaken te informeren. Koningin Juliana placht daarvoor naar Den Haag te komen. Ook met andere ministers kwam er veel meer contact; zij kwamen haar informeren als daar aanleiding toe was. Het parlement hoorde dit, niet helemaal tot zijn vreugde. Vergat de koningin de Tweede en Eerste Kamer niet? Juliana is toen ook begonnen kleine groepjes Kamerleden op Huis ten Bosch uit te nodigen.

Toen Wilhelmina de regering aanvaardde, bestond de wereld politiek en sociaal eigenlijk alleen uit Europa, dat koloniën had in verschillende werelddelen. De Verenigde Staten waren een onafhankelijk stuk van Amerika, maar ze telden in de 'oude wereld' nauwelijks mee; ze waren voor Europeanen voornamelijk emigratiegebied. De staatsbezoeken die Wilhelmina tot 1940 had gebracht, waren steeds gemaakt aan Europese landen, waartoe na de revolutie van 1917 Rusland, ofte wel de Sovjet-Unie, geografisch bleef behoren, maar die een eigen plaats innam. Ook de staatshoofden die Wilhelmina officieel hadden bezocht, waren allen West-Europeanen. De Verenigde Staten gingen als gevolg van de Eerste Wereldoorlog wel meetellen, maar het isolationisme bleef daar nog sterk. De Tweede Wereldoorlog bracht heel grote veranderingen. Toen Juliana de troon besteeg waren er twee grootmachten: de Verenigde Staten van Noord-Amerika en de Sovjet-Unie. Dat Japan een land was waarmee rekening moest worden gehouden, had de wereld inmiddels ervaren.

Het eerste staatsbezoek dat Juliana na haar troonsbestijging bracht gold Frankrijk (1950), dat in het verleden de toonaangevende macht in Europa was geweest. Mr. Stikker, toen minister van Buitenlandse Zaken, die de koningin vergezelde, vertelt in zijn memoires dat Juliana tijdens het gala-diner in het Elysée aller harten veroverde: 'Na het diner verliet ik de zaal samen met Schuman, Ramadier en Bidault, wier opgetogenheid over onze vorstin niet van afgunst vrij was. Bidault wendde zich tot Schuman en Ramadier met de woorden: "*Alors, messieurs*, het enige dat ons te doen staat is een koningin te vinden".' Fransen zijn hoffelijk, maar de woorden wijzen erop dat Juliana's rede, die zoals al haar redevoeringen stilistisch en door woordkeuze heel zorgvuldig was samengesteld, was aangeslagen. Heel kort na het staatsbezoek aan Frankrijk volgde er een aan Engeland, dat Frankrijks rol in Europa had overgenomen. De officië-

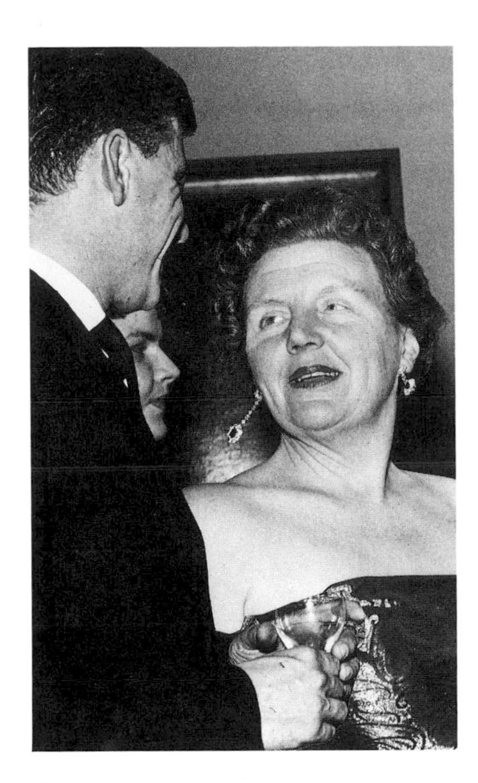

▲ *Koningin Juliana heeft altijd veel belangstelling gehad voor toneel en literatuur. Zij was op veel boekenbals. Ook in 1961 was zij er bij. Die avond praatte zij o.a. met Mischa de Vreede en Gerard van het Reve, zoals hij zich toen nog noemde. Reve zei tegen de koningin: 'Voor dit ogenblik heb ik mijn hele leven geleefd, Majesteit.'*

▲ *Bij een staatsbezoek aan Ethiopië in 1969 ondernam de koningin een gevaarlijke klim; zij helpt haar begeleider ook naar boven te komen. Haile Selassie, die toen nog keizer was, kijkt toe.*

le bezoeken die de koningin bracht aan de rijksdelen in de West verschilden van staatsbezoeken; daar ontmoette zij geen collega-staatshoofd, maar was zíj het staatshoofd. Als koningin ging zij voor het eerst in 1955 en daarna nog enige malen. In 1952 bracht het koninklijk paar een officieel bezoek aan de Verenigde Staten en Canada, verklaarbaar door de gang van zaken tijdens de oorlog. Daarna kwam weer een aantal bezoeken aan Europese hoofdsteden, maar naar de Bondsrepubliek ging de koningin nog niet officieel toe; het herstel op het niveau van staatshoofden kwam rond 1970. In november 1969 bracht president Gustav Heinemann, die een belangrijke rol had gehad in de *'bekennende Kirche'* en het verzet tegen Hitler, een staatsbezoek aan Nederland; in oktober 1971 beantwoordde de koningin dit bezoek.
In de jaren zestig bewijst de koningin dat zij weet dat Europa maar een deel van de wereld is: zij brengt staatsbezoeken aan Iran, Thailand, Mexico en in 1971 het door haar al veel eerder gewenste officiële bezoek aan Indone-

◀ *Koningin Juliana, evenals Beatrix, stelt weinig prijs op officiële bezoeken, al weten zij dat die 'bij het vak' horen. De beide vorstinnen maken liever werkbezoeken, waarbij zij zakelijke gesprekken kunnen voeren. Niet altijd kon koningin Juliana technische uiteenzettingen volgen; het is wel gebeurd dat zij verzuchtte: 'Wat zijn de mensen knap, die dit begrijpen!'*

sië, nadat een jaar tevoren de Indonesische president Suharto Nederland bezocht had.
Een reeks van landen zou nog volgen. Bij staatsbezoeken hoort traditioneel veel protocol en officialiteit, maar Juliana streefde ernaar bij deze bezoeken ook iets in te laten voegen, wat haar echte belangstelling had. In de tweeëndertig jaar van haar bewind heeft Juliana een groot aantal staatsbezoeken gebracht, die in duur uiteen liepen van een dag of vier tot twee weken.
Zij hoefde uiteraard deze bezoeken niet persoonlijk te regelen en niet zelf een reisschema op te stellen, maar zij wilde wel steeds weten wat men haar wilde laten doen en zij maakte eigen wensen kenbaar, voor de uitvoering waarvan zij soms vermoeiende tochten moest ondernemen. Toen zij in Ethiopië een monument wilde beklimmen, verzocht zij haar toenmalige minister van Buitenlandse Zaken Joseph Luns het ook te doen, waarop deze verzuchtte: 'Majesteit, ik meen dat ik u beter levend dien dan dood en deze klimpartij is mij te veel.'

De eerste wolk aan de stralende hemel boven het snel herrijzende Nederland vertoonde zich in de nacht van 31 januari op 1 februari 1953, toen het land getroffen werd door een stormramp van ongekende omvang. In Zeeland en op de Zuidhollandse eilanden begaven vrijwel alle dijken het en ook elders in het land waren overstromingen. Grotendeels door verdrinking kwamen bijna 2000 mensen om het leven. De materiële schade was onvoorstelbaar. Maar zoals steeds bij rampen bleek er een grote solidariteit onder de Nederlanders te zijn. Nu eerst werd ook de betekenis duidelijk van de nieuwe vorm van communicatie: de televisie. Binnen korte tijd verschenen beelden van de ramp op de televisieschermen in de gehele wereld.
Natuurlijk trokken koningin en prins direct naar het rampgebied; materieel kon de koningin weinig hulp bieden, maar de wijze waarop zij de overlevenden telkens weer hun verhaal liet vertellen, bewees dat zij maatschappelijk werkster was.
In snel tempo werd er een wet opgesteld tot betere beveiliging van de laaggelegen gebieden in het westen en noorden van het land; in even snel tempo gaf het parlement zijn goedkeuring aan deze Delta-wet, waardoor er geen echte eilanden meer zouden zijn: de zeegaten werden op de Westerschelde na – want dat is de mond van de Schelde en dus van de haven van Antwerpen – op een of andere wijze afgesloten en tussen alle eilanden ontstonden oeververbindingen. Als er weer een afsluiting gereed kwam, was koningin Juliana erbij. Op 4 oktober 1986 waren de werken voltooid; het werd met veel vertoon van de media gevierd in aanwezigheid van vele staatshoofden van de Benelux, ministers en ambassadeurs. Toen de treinramp bij Harmelen (januari 1962) vele slachtoffers eiste, onderbrak Juliana haar vakantie om direct naar de gewonden te gaan. De burgemeester van Harmelen sprak zijn waardering ervoor uit dat de koningin dit gedaan had. Haar antwoord was: 'Maar dat was toch mijn plicht?' Het is een plicht geweest die zij niet te vaak heeft behoeven te vervullen, want tijdens haar bewind deden zich geen grote rampen meer voor. Maar ook als het om kleinere ging was de koningin paraat.

Als wij haar regeringsperiode overzien, is het verbazingwekkende dat de positie van koningin Juliana door geen van de crises die zich voordeden, werd aangetast; in tegendeel door haar integriteit en haar ténacité – koppigheid én vastberadenheid – die de vierde vrouw van prins Willem I al kenmerkend noemde voor de Nassau's, groeide het respect voor deze vrouw, wier leven zich zo in de open-

▶ *De inhuldiging van koningin Beatrix verliep precies zoals die van haar moeder: weer in de Nieuwe Kerk in Amsterdam tijdens een Verenigde vergadering van de Staten-Generaal (30 april 1980).*

◀ *Het raakt er een beetje uit, maar er is een tijd geweest waarin men op Oranjefeestdagen er zeker van was minstens éénmaal een Oranjebitter aangeboden te krijgen. Is er verband tussen het Oranjehuis en de bitter? Het lijkt heel waarschijnlijk, al staat het niet onomstotelijk vast. De archivaris van Bols heeft de eerste vermelding van deze bitter gevonden in het stookboekje van Wynand Fockink van 1819; de bitter werd daar voor het eerst gemaakt op 30 augustus van dat jaar. In die tijd waren er rode en witte bitters. Er hoeft dus geen verband te bestaan met het Oranjehuis, al zal niemand van al te veel fantasie verdacht worden als hij dat verband wel legt. Een directe aanleiding was er echter niet; de koning werd dat jaar zevenenveertig, er werd geen prins geboren en geen vorstelijk huwelijk gesloten. Maar toch zag iemand er kennelijk wel iets in dit drankje op de markt te brengen.*
Ook de zuivelindustrie laat zich niet onbetuigd: Oranjebitter is het hele jaar door verkrijgbaar, maar Oranjevla wordt uitsluitend rond 30 april geproduceerd en verkocht.

baarheid moest afspelen. Voor haarzelf is wellicht nog belangrijker dat zij door goede en kwade dagen de gezinsband wist te handhaven of te herstellen en dat terwijl de familie na Juliana van Stolberg nog nooit zo groot is geweest als nu.
Het lag voor de hand dat Juliana het voorbeeld van haar moeder zou volgen en niet tot haar dood op de troon zou blijven zitten. Op de tweeënveertigste verjaardag van Beatrix kondigde zij aan dat zij op haar eenenzeventigste verjaardag haar taak aan haar dochter wilde overdragen. De koning behoort, met een aantal beoefenaars van vrije beroepen of kunsten, tot degenen voor wie geen pensioenleeftijd is vastgesteld. Het zal geen toeval zijn dat Juliana zich niet heeft willen houden aan de toen hoogste pensioenleeftijd, die van zeventig jaar, maar nog een jaar heeft gewacht. Het is het voorrecht van de koningin zelf te bepalen of en wanneer zij heen wil gaan. Uitgelekt is dat Juliana het besluit om af te treden heeft genomen zonder het kabinet te raadplegen: dit was haar zaak, waarvoor geen ministeriële verantwoordelijkheid geldt. Natuurlijk heeft zij het kabinet wel ingelicht, voordat zij haar voornemen publiek maakte.

Een feit, dat wij nuchter mogen constateren, is dat Beatrix dan wel niet heeft staan springen om de vier treden van het platform in de Nieuwe Kerk te betreden en de eed als koningin af te leggen, maar dat zij wel van mening was, dat zij op eenenveertigjarige leeftijd voldoende was voorbereid op haar taak. Hadden er tussen de dag, waarop Wilhelmina en Juliana koningin werden en haar inhuldiging enkele dagen gelegen, nu vonden beide gebeurtenissen op dezelfde dag plaats en wel op 30 april 1980, de dag die koninginnedag zou blijven.

▲ *Op 30 april 1980 deed koningin Juliana afstand van de troon en droeg zij haar functie over aan haar dochter Beatrix. Na de tekening van de acten kwamen de betrokkenen naar het balkon van het paleis, waar Juliana haar aftreden formeel meedeelde aan de duizenden op de Dam en aan allen, die de radio of de televisie hadden aan staan. Zij bezegelde de overdracht met een kus.*

Om elf uur in de ochtend tekende Juliana, precies als haar moeder dat had gedaan, in de Mozeszaal van het paleis op de Dam de acte van haar afstand in tegenwoordigheid van het voltallige kabinet en vele andere autoriteiten; nu waren ook de mannen van de beide vorstinnen aanwezig. Om twaalf uur verschenen de twee echtparen op het balkon. Koningin Juliana kondigde de troonswisseling aan, zoals haar moeder dat had gedaan; zij bezegelde haar woorden met een kus aan haar dochter. De aankondiging was voor niemand natuurlijk echt 'nieuws', ondanks het feit dat Juliana schrijvende en fotograferende pers had geweerd uit de Mozeszaal. Enkele uren later schreden koningin Beatrix en prins Claus onder de weer gebruikte visnetten naar de Nieuwe Kerk. In die dagen was de neiging tot kritiek bij een aantal mensen nog niet verstomd; er kwamen protesten tegen de duurte van de mantel met de hermelijnen voering. De critici vergaten, dat de mantel 'vijfdehands' was, want Willem II had hem al gebruikt! Er was wel een groot verschil tussen de inhuldiging in 1948 en die in 1980. In 1948 was heel Nederland nog Oranje-gezind; de inhuldiging van Juliana was in zekere zin ook een dankbaarheidsbetuiging voor het vele, dat haar moeder tijdens de oorlog voor het moreel van de Nederlanders had gedaan. In 1980 werkte de invloed van provo's, actie- en kraakbeweging enigszins na: een koningshuis was niks. Er kwam nog iets van verzet op de dag van de inhuldiging: er deed zich een aantal botsingen voor tussen actievoerders en politie. Het gevolg was dat de jonge koningin de volgende dag weer van Drakensteyn naar Amsterdam kwam, dit maal om een bezoek te brengen aan enkele agenten, die tijdens de acties gewond waren geraakt.

Beatrix zelf heeft heel goed beseft dat men tegenover haar anders stond dan tegenover haar moeder. Zij was afstandelijker en vaak nuchterder dan Juliana; zij wekte als troonopvolgster wel eens een indruk van hooghartigheid, die voor een deel

▲ *Tijdens een staatsbezoek aan Italië brachten koningin Beatrix en prins Claus ook een bezoek aan paus Johannes Paulus II (28 maart 1985).*
Toen de paus datzelfde jaar in Nederland was, ontmoette hij veel mensen. Hij had zich natuurlijk georiënteerd over Nederland en te horen gekregen dat hij 14 miljoen 'theologen' zou ontmoeten. Voordat hij naar het koninklijk paar zou gaan, verzuchtte hij dat hij weer met theologische problemen zou worden geconfronteerd. Hij had dit al ervaren bij het bezoek dat Beatrix en Claus aan hem hadden gebracht. De zoons van het koninklijke paar zorgden ervoor dat dit nu niet gebeurde.

stellig voortkwam uit doodgewone verlegenheid.
De procureur-generaal van de Hoge Raad, mr. G.E. Langemeijer, dus één van de leden van ons hoogste rechtscollege, heeft koningin Beatrix eens een 'republikeinse koningin' genoemd. Tegen oom Jany – de dichter A. Roland Holst, die jarenlang een vriend van Juliana's gezin is geweest – heeft Beatrix ooit gezegd: 'Ik begrijp best dat er mensen zijn die liever een republiek willen, maar zolang de grote meerderheid het wil, zullen wij doen wat wij kunnen om ons volk te dienen.' Zij zelf weet trouwens dat haar werk als staatshoofd nauwelijks verschilt van dat van een president, die niet tegelijk eerste minister is, zoals bijvoorbeeld de president van de Verenigde Staten dat wel is. Hét verschil is dat een aanstaande koning van jongs af aan weet, wat zijn toekomstige functie zal zijn en dat hij die voor onbepaalde tijd zal uitoefenen, terwijl een president als volwassene bewust gekozen heeft voor zo'n functie en weet dat hij die slechts een bepaald aantal jaren zal uitvoeren. Er zijn Nederlanders die het 'onmenselijk' vinden, dat wij de koning(in) levenslang zo laten bespieden door publiciteit en daarom aan een republiek de voorkeur zouden geven. Maar ook

▲ *Tot de vele officiële gasten die het koninklijk paar ontvangt, behoorden ook de toenmalige vice-president van de Verenigde Staten van Amerika en zijn vrouw, de heer en mevrouw George Bush (25 juni 1985). Op 17 juli 1989 zouden de vier elkaar weer ontmoeten; nu was Bush president.*

zij aanvaarden veelal dankbaar, dat Beatrix haar werk wil blijven doen.
In het voorjaar van 1988 stelde één van de redacteuren van *Het Parool* vast dat de republiek een achterhaald idee is. In de jaren zestig was Roel van Duyn dé grote voorman van de provo's; in 1988 was hij lid van de gemeenteraad in Amsterdam voor de Groenen. 'Ach ja,' zei Van Duyn, 'de republikeinse staatsvorm. Volgens mij is het een achterhaald idee. En ik kan je uitleggen waarom. Het zijn de koninklijke personen zelf die het instituut (van de monarchie) aanvaardbaar hebben gemaakt. Als Beatrix in Straatsburg of Washington spreekt, heeft zij werkelijk iets te zeggen. En prins Claus? Na Hendrik en Bernhard is die man toch een verademing? Een warm mens met uitstekende ideeën... ik heb hem geprezen voor de manier, waarop hij zich voor onze bossen inzet.'

Tijdens een staatsbezoek aan de Bondsrepubliek in maart 1982 zei de Nederlandse vorstin o.a.: 'De burger voelt zich bij de samenleving betrokken. Hij wil weten waarom zijn regering zo en niet anders handelt. Voor eigen verantwoordelijkheid handelen en voor eigen initiatieven moet een moderne democratische staat de mogelijkheden scheppen.' Het was duidelijk dat Beatrix besefte dat de burger, haar medeburger, mondig was geworden. De wijze waarop zij haar staatstaak uitoefent, bewijst dat zij dit weet.
Tijdens en na haar studie heeft zij geleerd, hoe zij zaken moet aanpakken. Zo trekt zij bijvoorbeeld vaak door het land; dan houdt zij zich in principe een jaar of een seizoen bezig met zaken die onder één ministerie vallen. Zij is begonnen met bezoeken aan landbouwers, wier positie als gevolg van regelingen van de Europese Economische Gemeenschap veranderingen ondergaan. Zij is bij bollenkwekers geweest, bij verbouwers van suikerbieten, bij veehouders, enz. Dit zijn veelal familiebedrijven, zodat de koningin niet alleen met de boeren praatte, maar met het hele gezin. Zulke bezoeken kan zij niet onvoorbereid brengen; zij moet van tevoren weten welke problemen en, als dat kan, welke mogelijkheden er zijn. Een vorstin die zo rondtrekt, ontmoet haar landgenoten anders dan één die vriendelijk wuivend in een fraaie koets door een buurt rijdt.
Het is wel voorgekomen dat Beatrix in verband met volkshuisvesting ergens rondliep en dat er een lichtelijk aangeschoten jongeman op haar af kwam, die haar hevig de hand schudde en bedankte voor het feit dat zijn ouders een ander huis hadden gekregen. Beatrix heeft een uitstekend geheugen voor gezichten, maar ook voor wat zij gehoord heeft. Het schoot door haar heen, dat zij bij de ouders in

hun eenkamerwoning op bezoek was geweest en dat die haar gesmeekt hadden hun een ander huis te bezorgen. Nuchter vertelde de koningin later dat de bewoners hoog op de urgentielijst hadden gestaan en toevallig kort na haar bezoek aan de beurt waren. Doordat zij zich de gang van zaken herinnerde, kon zij de jongeman een passend antwoord geven.
Ook aan minderheden in ons land schenkt Beatrix aandacht: een jaar lang heeft zij hen bezocht en gehoord en gezien hoe zij het verblijf in ons land ervaren. Zij meent dat zij een vrij eerlijk beeld krijgt van 'gewone mensen' en hun problemen. In een televisievraaggesprek met de schrijfster Hella Haasse ter gelegenheid van de vijftigste verjaardag van de koningin, constateerde Beatrix dat het contact krijgen met gewone mensen haar is meegevallen. De zoen die zij tijdens de viering van haar vijftigste verjaardag zou krijgen van een jongeman in de Amsterdamse Jordaan, zal voor de koningin niet helemaal onverwachts zijn gekomen.
Door het televisiegesprek met Hella Haasse bewees de koningin te weten, hoe zij moderne communicatiemiddelen moet gebruiken. In dit heel lange gesprek vertelde Beatrix meer over zichzelf en haar werkwijze, dan één van haar voorgangsters ooit gedaan had. De postbode haalt beslist niet

Op 14 juli 1986 werd het tweede kabinet Lubbers zoals gebruikelijk door de koningin beëdigd, maar de tijd is lang voorbij dat de koningin alleen in contact kwam met ministers, diplomaten, hoge ambtenaren en Kamerleden...
Op 27 juni 1988 ontving de koningin het Oranje-elftal dat het Europees Kampioenschap had gewonnen. Zij reikte onderscheidingen uit aan de leiders van het team. Op de foto v.l.n.r. Frank Rijkaard, Marco van Basten, de koningin, Ruud Gullit, mr. Pieter van Vollenhoven en trainer/coach Rinus Michels.

's morgens een pakje uit zijn tas met de brieven voor het paleis; het zijn er veel te veel. Koningin en prins maken niet hun eigen post open; in paleis Noordeinde hebben zij een staf, die dit doet. De koningin komt meestal twee dagen in de week naar het Noordeinde; elke week is er een vergadering van de secretarie ter behandeling van de post, die veelal naar het departement wordt doorgestuurd, waaronder de vraag of de klacht valt en die voor een deel door de secretarie zelf kan worden afgehandeld. Vooral als er rond verjaardagen geschenken worden gestuurd, kent het secretariaat de woorden, waarin de koningin bedankt.

Dat Beatrix en Claus de organisatie van hun 'bedrijf' zakelijker hebben aangepakt dan onder hun voorgangers wel eens het geval was, blijkt uit het feit dat zij een beleidscollege hebben ingesteld, waarin zijzelf zitting hebben, maar ook de andere leden van het Koninklijk Huis die openbare functies vervullen, en medewerkers. Nauwkeurig wordt tijdens de besprekingen van dit college nagegaan, of het gehele land evenwichtig de aandacht krijgt die het toekomt; een kaart met vlaggetjes is daarbij een hulpmiddel.

Met Hella Haasse heeft de koningin ook gesproken over de voorbereidingen die elk staatsbezoek vraagt. Er zijn landen waarvan koningin en prins voldoende weten, maar dat geldt niet voor alle landen, die het koninklijk paar heeft bezocht. Over Afrika kon Claus zijn echtgenote het nodige vertellen, maar voor bezoeken aan landen in Azië en delen van Australië waren soms aantallen colleges door deskundigen noodzakelijk, ondanks de vroegere reizen van Beatrix. Deze reizen dragen er volgens de koningin toe bij om de Nederlandse problemen te relativeren. Opvallend is dat koningin Beatrix bij deze bezoe-

▲ *In augustus 1985 woonden Beatrix en Claus in het Concertgebouw in Amsterdam een concert bij van het Europese Jeugd Orkest. Na afloop werden de dirigent en enkele solisten voorgesteld aan het koninklijk paar.*

ken telkens blijk geeft van haar historische kennis. Toen het koninklijk paar in november 1982 bijvoorbeeld Groot-Brittannië bezocht, legde de koningin in haar redevoeringen steeds weer de nadruk op de betekenis die de stadhouder-koning Willem III en zijn vrouw Mary hadden gehad en toen was het herdenkingsjaar 1988-1989 nog ver weg! In de Verenigde Staten sprak de koningin over het feit dat hun onafhankelijkheidsverklaring sterke verwantschap vertoonde met wat Willem de Zwijger meer dan twee eeuwen tevoren in een aantal geschriften en in de Acte van Verlating van Philips II had laten schrijven.

Wij blijven nog even bij het gesprek met Hella Haasse; daarin vertelt de koningin ook over haar belangstelling voor de kunsten. Die gaat allereerst uit naar de beeldende kunst. Zij streeft ernaar om iedere week enkele uren 'vrij' te hebben om zich aan boetseren en beeldhouwen te kunnen wijden. Te weinig naar haar zin kan zij galeries en tentoonstellingen bezoeken. Eén van de jaarlijkse plichten die zij graag vervult, is de uitreiking van de koninklijke subsidie voor de vrije schilderkunst, die aan jonge schilders wordt toegekend. Die subsidie bestaat al heel lang, naar de ko-

▲ *Tijdens het driedaags officieel bezoek aan Nederland in maart 1989 van de president van Mozambique, Joaquim Alberto Chissano, ontvingen de koningin en prins Claus hem op het paleis Noordeinde, waar zij ook met hem lunchten. Wie met koningin Wilhelmina het noenmaal gebruikte of dineerde, deed er verstandig aan eerst thuis iets te eten. Tijdens de maaltijd kreeg de gast voldoende op zijn bord, maar de koningin at heel snel en zodra zij haar bestek neerlegde, begonnen de lakeien met het weghalen van alle bestek en borden. Juliana en Beatrix geven hun gasten meer tijd.*

ningin zelf meent al sinds de dagen van koning Willem III; maar in elk geval hebben Wilhelmina en Juliana haar jaarlijks uitgereikt. Het huidige koninklijk paar heeft wel wijzigingen in die uitreiking aangebracht. Die gebeurt nu in het paleis op de Dam en dan worden ingezonden werken, ook niet bekroonde, voor het publiek tentoongesteld.

Muziek is pas echt een rol gaan spelen in Beatrix' leven na haar verloving. Claus heeft een grote liefde voor klassieke muziek; al voor de officiële verloving was hij in het Concertgebouw geweest. Hij heeft zijn vrouw begrip en liefde voor die muziek bijgebracht. Vooral de prins komt regelmatig in het Concertgebouw en bij andere klassieke muziekuitvoeringen, maar ook Beatrix vindt men er veel vaker dan haar voorgangsters, die beslist amuzikaal waren. Een heel oude traditie is door Beatrix en Claus hersteld: op koninginnedag laten zij voor hun gasten een concert geven in de grote balzaal van paleis Noordeinde; elk jaar wordt hiervoor een ander ensemble uitgenodigd.

'Wat u te doen staat, verdraagt geen uitstel. De politieke democratie werd in de achttiende eeuw geboren, de sociale democratie in de negentiende, als de Europese democratie in de twintigste eeuw moet worden geboren, resten ons nog maar zestien jaar.'
(Koningin Beatrix in het Europees Parlement in Straatsburg, 16 februari 1984)

'Ongezond is het traditie als een zware ballast iedere dag mee te slepen en nog ongezonder is het de toekomst hiermee te belasten.'
(Koningin Juliana in de Bondsrepubliek Duitsland)

'Toen de Nederlanders in dit land hun nederzetting bouwden, die zij niet zonder trots Nieuw-Amsterdam noemden, stelden zij voorschriften vast voor degenen die zich er wilden vestigen. Een van die artikelen bepaalt dat zij op korte termijn moeten zorgen voor een "dominee en een schoolmeester". In menig opzicht zijn wij nog steeds een volk van dominees en schoolmeesters. Wij moeten een boodschap uitdragen en steken daarbij de vinger soms belerend omhoog. Wij hebben sterke morele overtuigingen en ook een getuigend karakter.'
(Koningin Beatrix als inleiding voor een interview met de Amerikaanse pers tijdens het staatsbezoek van koningin en prins aan de Verenigde Staten)

▲ *In 1989 bestond het wapen van de Koninklijke Marechaussee honderd jaar; dit jubileum werd geopend op 14 maart met een bijeenkomst in de Grote Kerk in Den Haag. De koningin was erbij en zij groet met de andere zojuist binnengekomen gasten het vaandel. Links van de koningin generaal-majoor Rademaker, rechts van haar minister Bolkestein van Defensie.*

De koningin heeft – bijgevallen door Willem Alexander – ook heel open gesproken over de 'tweeslachtigheid' van haar leven. Hella Haasse merkte op dat zij wel eens hoorde zeggen dat de koningin op de mensen nogal geposeerd overkomt, terwijl dat toch voor iemand die haar wat nader leert kennen absoluut niet overeenstemt met de werkelijkheid. Zij vraagt dan of de koningin een duidelijke scheidslijn trekt tussen aan de ene kant de dignitas, de koninklijke waardigheid, die zij belichaamt, en aan de andere kant de privé-persoon die zij is. Dit onderscheid spreekt Beatrix blijkens haar reactie erg aan, omdat het twee kanten zijn die zij in zichzelf moet proberen te verenigen. Maar zij gelooft niet, dat ze helemaal te scheiden zijn. 'Er zijn heel veel raakvlakken en heel vaak loopt het ook echt in elkaar over.'
Op de laatste vraag van Hella Haasse

◀ *Koningin Beatrix aan het beeldhouwen; zij heeft de koppen van haar zoons gemaakt, maar wil die nog bijwerken. Wie met klei werkt, houdt geen schone handen.*

▲ *Op 28 april 1985 vierde Willem Alexander zijn achttiende verjaardag, waardoor hij officieel de vermoedelijke troonopvolger werd. Op 3 juli, na zijn eindexamen, installeerde zijn moeder hem als lid van de Raad van State, waarvan zij de formele voorzitter is.*

of de koningin werkelijk gezien kan worden als een gewoon mens, zoals de mensen haar willen zien, antwoordt de koningin heel nuchter dat zij gelooft dat dit niet kan. 'Hoezeer ik ook probeer ontspannen mijzelf te zijn in het functioneren, in mijn tegemoettreden van andere mensen, er zal altijd iets zijn waardoor de anderen je nooit als volledig gewoon zien. Dus hoe innerlijk ontspannen wij onszelf ook mogen voelen, zo vertaal ik dan maar even het woord "gewoon", er is altijd die barrière, dat het nooit van één kant komt. Het komt altijd van twee kanten en dat is niet van ons uit te overwinnen. Ik denk wel dat je voor jezelf het gevoel kunt hebben van: ik ben mijzelf, ik ben gewoon. Ik probeer mij ook in te leven in wat bij anderen echt leeft en in die zin dicht bij de waarheid te komen, maar dat is niet wat u met het woord "gewoon" bedoelt, denk ik. Nee, het is niet mogelijk in onze functie "gewoon" te zijn. Maar dat ligt niet altijd aan ons.'
Prins Claus heeft in de televisieuitzending ter gelegenheid van de vijftigste verjaardag van zijn vrouw gezegd: 'Ik denk dat haar perfectionisme één van de meest duidelijke kenmerken is; een perfectionisme dat niet altijd gemakkelijk is voor de mensen die met haar meewerken, die misschien minder perfectionistisch zijn en zij wil alles graag precies zo hebben, als zij het heeft bedoeld.'

Tot slot de opvatting van de koningin over samenwerking met haar man. Die getuigt van een wel heel andere mening dan haar grootmoeder had. 'Mijn man en ik hebben ook geprobeerd om samen de verantwoordelijkheid te delen in die zin, dat wij de dingen samen bespreken. Wij hebben natuurlijk gedeelde functies. Mijn man heeft zijn eigen taak en eigen belangstelling en ook gelukkig zijn eigen werk. En ik mijn werk. Maar we overleggen veel samen en het moet wel op elkaar aansluiten. Wij vinden het ook erg belangrijk dat het in overeenstemming met elkaar is en dat wij ook inhoudelijk het goed op elkaar afstemmen, niet alleen wie wat doet, maar dat wij het ook met elkaar eens zijn, ieder in zijn eigen functioneren de ander kan steunen en vooral mijn man, die mij heel erg steunt met zijn adviezen en zijn vaak heel goede ideeën en die eigenlijk ook leiding kan geven in dit werk. Wij vullen elkaar echt heel erg goed aan, ook qua belangstelling, maar hij is degene die mij ook, laten we zeggen, coacht. Hij geeft de leiding en geeft mij ook vaak goede adviezen en denkt ook heel erg goed na over de inhoud van mijn werk en helpt mij daar enorm mee. Je moet het samen doen.'

7. Eerste onderdaan

▲ *In 1929 begon het jaarlijkse koninklijke bezoek aan Amsterdam met een groot feest in het stadion. De aanleiding daartoe was dat koningin Emma in die dagen herdacht dat zij vijftig jaar in Nederland had gewoond. In open rijtuigen maakte de gehele koninklijke familie ook een rijtoer door de hoofdstad.*

Na haar abdicatie zou Wilhelmina tegen haar jonge secretaris hebben gezegd: 'Mijn kind is staatshoofd en ik ben niet meer dan één van haar onderdanen.' Zo voelde zij het, zo was het natuurlijk niet helemaal. Koningin Emma was veertig jaar, toen haar regentschap eindigde en zij 'koningin-moeder' werd zonder dat er een taak was die zij moest vervullen. Emma was er de vrouw niet naar om met haar kantkloskussen bij het raam te gaan zitten en naar concerten te gaan, al deed zij beide graag.

Bij haar aftreden was haar natuurlijk een nationaal geschenk aangeboden: het voor die dagen zeer hoge bedrag van drie ton. Zoals geschreven, was Emma's oudste zuster aan tuberculose overleden; die ziekte had heel speciaal de aandacht van de koningin-moeder. Tuberculose was toen een der meest gevreesde ziekten; alleen door maandenlange rust in een gezonde omgeving konden patiënten soms herstellen. De koningin-moeder schonk het kapitaal aan de organisatie die het eerste tbc-sanatorium in Nederland tot stand moest brengen; zij stelde daarvoor ook haar buiten Oranje Nassau-oord in Renkum ter beschikking. Er was heel veel geld nodig voor de tbc-bestrijding want van volksverzekeringen was in die dagen nog geen sprake. Er werd al spoedig besloten een jaarlijkse collecte te houden: de Emmabloem-inzameling bestaat nog steeds.

Het bleef niet bij het werk voor de tuberculosebestrijding; al in 1899 werd de koningin-moeder beschermvrouwe van het Emma-kinderziekenhuis in Amsterdam; in de loop der jaren werd het aantal liefdadigheids- en gezondheidsinstellingen waaraan zij haar naam gaf, steeds groter. Na Wilhelmina's huwelijk verhuisde Emma naar het paleisje aan het Voorhout; het pand ernaast werd ge-

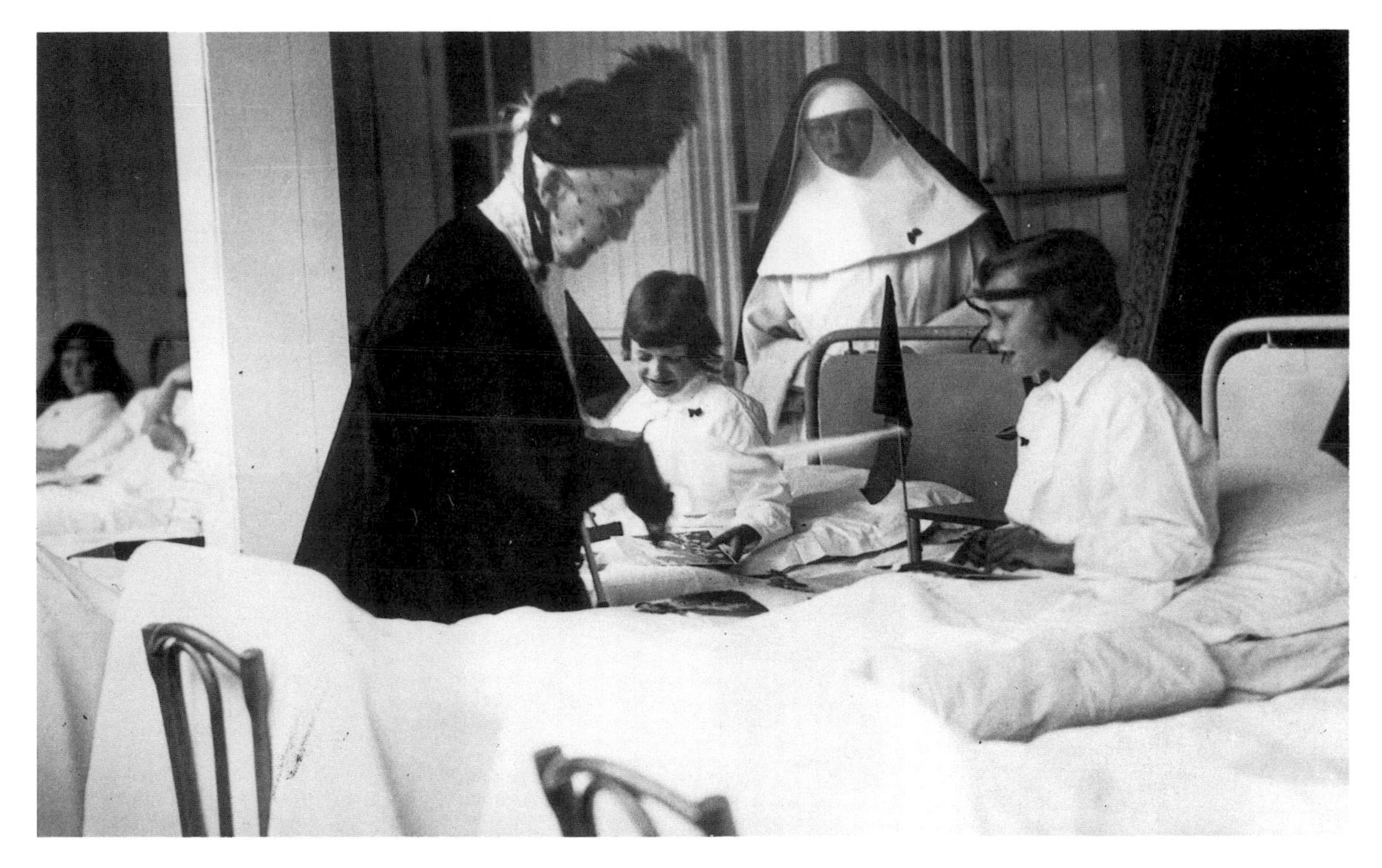

▲ *Koningin Wilhelmina schrijft in* Eenzaam maar niet alleen *bij deze foto van haar moeder: 'Nadat zij haar taak als regentes had neergelegd, had zij zich geheel aan de lijdende mensheid gewijd. De warmte van haar belangstelling en haar gave zich te kunnen indenken in de omstandigheden zowel van de lijdenden zelf als van hen, die ze verzorgden, hebben menig hart in de loop der jaren verblijd.'*

bruikt als 'bureau van weldadigheid van H.M. de koningin-moeder'.
Emma kreeg talloze verzoeken om hulp voor 'goede doelen' van organisaties en in de meeste gevallen gaf zij hulp in enigerlei vorm. Zij ontving ook persoonlijke brieven van mensen, die in de knel zaten. Eén van haar vroegere garderobières vraagt haar eens om steun. De koningin-moeder meent zich te herinneren dat de vrouw te duur woonde voor haar inkomen en dat is iets wat Hare Majesteit allerminst wil bevorderen (schrijft degene die de leiding van het bureau heeft). Pas als blijkt dat Emma's herinnering niet juist is, krijgt de vrouw steun. In de loop der jaren heeft koningin Emma alle mogelijke zaken betaald, bijvoorbeeld de overtocht van een gezin, waarvan de vader al naar Amerika was geëmigreerd en dat op het laatste nippertje geen lening van de bank kon krijgen, maar door Emma's hulp toch nog met de geplande boot kon vertrekken. Emma geeft steun aan jonge musici die voor hun studie naar het buitenland moeten; zij koopt een instrument voor een violist die daardoor zijn brood kan verdienen; zij koopt schilderijen van kunstenaars, die in financiële moeilijkheden verkeren en zij geeft steun aan letterkundigen, teneinde de uitgave van hun werk mogelijk te maken. Het zijn enkele voorbeelden uit een artikel over het bureau in het gedenkboek dat werd uitgegeven ter gelegenheid van Emma's vijftigjarige verblijf in Nederland.
De koningin-moeder beperkte zich niet tot het geven van financiële steun; zij bracht geregeld bezoeken aan liefdadigheidsinstellingen. Daarvoor gunde zij zich alle tijd; het moet zijn voorgekomen dat zij volgens het plan zeg, om vijf uur zou vertrekken, maar om half zeven nog druk bezig was met gesprekjes met verpleegden. Zou Juliana haar gemis aan besef voor tijd van haar grootmoeder geërfd hebben? Ook zij kan bij bezoeken de tijd volledig vergeten. Als Emma de Prins Alexander-stichting in Huis ter Heide bezoekt nodigt zij de blinde kinderen uit op het paleis; als zij daar zijn, mogen zij naar hartelust aan haar japon en andere zaken voelen.
De zomermaanden bracht koningin Emma steeds door op paleis Soestdijk; in Baarn en Soest kreeg haar maatschappelijk werk een soms heel persoonlijk karakter. De inwoners van deze plaatsen en de vele toeristen, die naar de 'badplaats' Baarn kwamen, zagen de koningin-moeder regelmatig als zij in haar open rijtuig, steeds gekleed in sobere maar heel

▲ *Na haar abdicatie bracht prinses Wilhelmina formeel geen bezoeken meer. Uitzonderingen waren er in 1953 en 1956. In 1953 trok zij na de watersnood in Zeeland twee dagen door het geteisterde gebied om mensen te troosten. In 1956, nadat een poging tot handhaving van de democratie in Hongarije was neergeslagen, ging zij met het koninklijk paar en de kroonprinses naar het nationale monument op de Dam om hulde te betuigen aan de verzetsstrijders.*

◀ *Voor het tijdschrift* 'De Vrouw en haar Huis' *maakte Rein van Looy in 1956 een tekening van Wilhelmina. Koningin Juliana las het blad, zag de tekening en vond die zo typerend voor haar moeder dat zij om het origineel vroeg. Het moet jarenlang op haar bureau hebben gestaan.*

goed gemaakte japonnen met de voor haar kenmerkende hoofdbedekking, die verwantschap toonde met een weduwenkapje en haar met kant afgezette parasol, door Baarn en omgeving toerde. Zij werd allengs 'de liefste oude dame van Europa', zoals een Engelse krant na haar dood zou schrijven. Zij overleed na een kort ziekbed op 20 maart 1934.
Bij de herdenking in de Eerste Kamer zei dr. Henri Polak: '... de sociaal-democraten behoeven er zelfs in deze dagen geen geheim van te maken, dat zij in beginsel de republiek stellen boven de monarchie, maar zij verwarren niet het algemene met het bijzondere. Zij eerbiedigen niet alleen de koningin als wettig hoofd van de staat, doch erkennen tevens dat, indien het gekroonde hoofd zijn plaats vervult en zijn taak opvat, zoals wijlen koningin Emma deed tijdens haar regentschap en zoals mede door haar voorgaan, koningin Wilhelmina dit sedert haar troonsbestijging heeft gedaan, er weinig reden bestaat om te verlangen naar een verandering van bestuursvorm...'

In Psalm 2 vers 7 spreekt de Messiaanse koning: 'Ik wil gewagen van het besluit des Heren: Hij sprak tot mij: Mijn zoon zijt gij, ik heb u heden verwekt. '(vertaling Nederlands Bijbelgenootschap).
Of koningin Wilhelmina in haar bijbel, die haar dagelijkse levensgezel was, woorden die haar bijzonder aanspraken placht aan te strepen, weten wij niet; het lijkt niet heel waarschijnlijk, haar eerbied voor dit levensboek was te groot. Maar als zij het wel gedaan heeft, heeft zij vast een streep gezet bij dit psalmwoord. Zij was te ootmoedig om zich tegenover God te beschouwen als 'de Messiaanse koning' en toch zal zij het eens zijn geweest met de woorden van de koning; zij voelde zich Gods dochter die door

▲ *Na haar abdicatie vertoefde prinses Wilhelmina graag in Amsterdam, waar zij dan twee kamers in het paleis betrok. Als het kon, ging zij met de na 1935 aangebrachte lift naar het dak om daar te schilderen. Zelfs daar werd zij een keer waargenomen.*
Haar pogingen een ritje te maken met lijn 2 mislukten, omdat bleek dat zij geen geld had om een kaartje te betalen. De conducteur zou dit wel hebben laten passeren, maar haar stem werd door andere passagiers herkend. Het gevolg: aan de eerstvolgende halte stapte zij weer uit. Het lukte haar wel een keer het paleis aan de zijde van de Nieuwe Zijds Voorburgwal te verlaten en over te steken naar het postkantoor om daar kinderzegels te kopen. Het had echter weinig gescheeld of de verkeersagent had 'die oude vrouw' opzij gesleurd en haar een stevig standje gegeven over haar roekeloosheid. In het postkantoor ontstond veel deining, maar een lid van de hofhouding wist te voorkomen dat de directeur in eigen persoon zijn klant welkom heette. Er ging natuurlijk wel direct een extra loket voor haar open, zodat zij niet in de rij hoefde te staan. Een 'gewoon mens' kon ook de ex-koningin niet zijn.

hem geroepen was tot haar ambt. Zij voelde het ook als haar plicht het geloof in de christelijke Kerk uit te dragen.
Aanvankelijk richtte zij haar aandacht uitsluitend op de protestanten; door de contacten met pater 'Lodewijk' Bleys, de Limburger die in 1944 als Engelandvaarder in Londen aankwam, kreeg zij ook begrip voor de rooms-katholieken. Haar instelling was al heel vroeg oecumenisch: één christelijke kerk, die begeerde zij. Deze instelling en haar – soms eigen – interpretatie van het geloof moet men goed in het oog houden, als men de activiteiten van Wilhelmina na haar abdicatie beziet. Zolang zij staatshoofd was, was haar leven zeer gevuld en kon zij zich minder inzetten voor geloofszaken. Maar het zou onjuist zijn te veronderstellen dat deze zaken haar al niet veel eerder intens bezighielden. Vooral de Oxford-beweging, de morele herbewapening, had haar al voor de Tweede Wereldoorlog in haar greep gekregen. In 1939 heeft zij uitvoerig voor die beweging gepleit via de radio.

Maar het grootste deel van haar tijd kon zij er pas na 1948 aan wijden. Met Pasen 1949 verscheen onder auspiciën van de Oecumenische Raad van Kerken in Nederland een boodschap van haar hand, die gecalligrafeerd werd uitgegeven. Het duurde niet lang of haar eerste brochure verscheen: *De grote onbekende*, een warm pleidooi voor de erkenning van Jezus Christus als enige redder en verlosser van de wereld. Het zou het eerste worden van een reeks geschriften in dezelfde geest, die welkom waren bij hen die wilden leven in een geest, die verwant was met die van Wilhelmina, maar die weinig doordrongen tot anderen. De prinses wilde toch proberen ook die anderen te bereiken. Zij kwam op de gedachte 'haar boodschap' te verwerken in een boek, waaraan haar eigen leven ten grondslag lag: *Eenzaam maar niet alleen*. Zij heeft hieraan bijna zes jaar gewerkt. De oude koningin waarschuwt in haar inleiding dat men geen autobiografie mag verwachten of een politiek of historisch relaas. 'Deze bewegen zich op een ander plan dan waarop hetgeen hier volgen zal, zich voltrokken heeft. Ik wil dan ook de lezer verzoeken mij op dat hoge plan te volgen. *Wat hier aan de orde is, is het door God geleid zijn van ons*

◀ *In de jaren na haar abdicatie ging het lopen Wilhelmina allengs moeilijker af. Dit was echter geen reden op Het Loo binnen te blijven; met paard en wagentje trok zij er veel op uit. Zij mende dan zelf en nam vaak één van haar honden, in dit geval Stella, mee.*

De Haagse bloemist Ch. van Houweninge had jarenlang koningin Emma tot klant. Ook Wilhelmina kwam wel bij hem, maar dat verliep voor 1940 veel georganiseerder. Als Wilhelmina was uitgestapt en de zaak binnenging, posteerden zich twee lakeien voor de deur. De koningin werd steeds vergezeld door haar lectrice freule Van Swinderen. Met de heer Van Houweninge sprak zij alleen via de freule. 'Vraag eens aan mijnheer Van Houweninge wat de rozen kosten?' Hij vertelde het haar en zij herhaalde het voor de koningin; alles werd dus twee maal gezegd. Na 1945 was van iets dergelijks nooit meer sprake.
(NRC Handelsblad, 27 augustus 1988)

volk in verleden, heden en toekomst.' (cursivering van Wilhelmina.)
Een boek van Wilhelmina vond uiteraard aftrek, zowel in Nederland als daarbuiten; er is een aantal vertalingen van verschenen, ook een Duitse, al heeft het lang geduurd voor de prinses haar afkeer van de 'taal van die man' (zoals zij Hitler betitelde) kon overwinnen. Wilhelmina schrijft wel dat het geen autobiografie is, maar zij volgt nauwkeurig haar levensgeschiedenis en die is het waarnaar men gretig heeft gegrepen, al doet de schrijfster geen enkele 'onthulling' op politiek of historisch gebied.
Over wat zijzelf aan de orde wilde stellen, zullen degenen die zich hiervoor weinig interesseerden heengelopen zijn; een aantal van hen zal bij bepaalde uitlatingen zelfs vraagtekens hebben geplaatst, omdat men hetgeen Wilhelmina als haar interpretatie van het geloof mededeelt, niet deelde. Dit neemt echter niet weg, dat de oud-koningin de opdracht die zij van God, in wie zij zo vast geloofde, had ontvangen, als een zendelinge heeft vervuld.
In het laatste hoofdstuk schrijft Wilhelmina: 'Men hoort vaak beweren, dat de christelijke geloofswaarheid slechts één is uit de rij der godsdiensten en geestesstromingen. Het christendom is echter geen godsdienst in de gewone zin van het woord. Waar de andere godsdiensten een leer nastreven, die alles beheerst, is Christus Zelf zonder meer de Weg, de Waarheid en het Leven. Hij is de vervulling van wat andere godsdiensten nastreven. Het hoogste antwoord op het diepste vragen.'
En dan helemaal aan het eind: 'Thans beschouw ik mijn opdracht vervuld, namelijk u een beeld te geven hoe alles in mijn leven geleid is en betekenis heeft gehad in Christus' hoge plan.'

Na september 1948 heeft prinses Wilhelmina meer dan eens gezegd: 'Ik ben dood.' Zij bedoelde hiermee dat krachtens de grondwet abdicatie gelijk wordt gesteld met overlijden. Een koning die afstand heeft gedaan van de troon, kan die nooit meer bestijgen. Haar bedoeling ging echter ook een tikje verder: zij wilde volledig op de achtergrond blijven en geen rol meer spelen in het Nederlandse openbare leven. Zij nam haar intrek op Het Loo en wijdde zich daar aan haar eigen zaken, waarbij schilderen een belangrijke plaats innam. Zij had dit bijna haar gehele leven gedaan en nu

▶ *Na haar abdicatie was Wilhelmina uiterst spaarzaam gebleven bij het toelaten van eerbetoon op haar verjaardag of bij andere gelegenheden. In 1960 zou zij tachtig jaar worden, maar zij wilde niet dat de jeugd van Nederland haar op die dag een aubade zou brengen; dat moest gebeuren op 5 mei. Aan de kinderen te zien, is het die dag warm weer, maar de oude koningin heeft zich toch maar gehuld in een bontmantel; de bloemen stapelt zij in haar schoot op.*

had zij de kans daaraan veel meer tijd te geven dan vroeger. Zij had in het paleis iets dat op een atelier leek, maar het liefst trok zij erop uit met een 'werkwagentje', dat volgens haar aanwijzingen was gebouwd en ingericht. Zij liet zich daarmee rijden naar de plek, waar zij wilde werken en werkte daar dan soms urenlang.

Na haar abdicatie bedankte zij voor alle ere-functies die zij als koningin had gehad. Zij bleef alleen ere-voorzitster van de Stichting 1940-1945 en beschermvrouwe van het Voorzieningsfonds voor kunstenaars. De Stichting '40-'45 was in feite haar schepping; zij had gewild dat er een instantie zou komen die zich het lot van slachtoffers van het verzet, zij die de oorlog overleefd hadden en van nabestaanden zouden aantrekken. Zij had een zeer aanzienlijk beginkapitaal geschonken, maar daarbij bleef het niet. Al spoedig na de bevrijding nodigde zij vroegere verzetsstrijders of hun nabestaanden, die het moeilijk hadden, uit om haar gast te zijn op Het Loo, waar zij voor zichzelf slechts enkele kamers had gereserveerd. Op de oorlogsslachtoffers zouden nog vele anderen volgen: er kwamen gasten na de stormramp van 1953; er kwamen Nederlanders uit Indonesië; er kwamen na de opstand van 1956 Hongaarse vluchtelingen en een aantal Russen, die na 1917 hun land waren ontvlucht, hebben er hun laatste levensjaren doorgebracht. Ook aan het Voorhout bood de prinses velen gastvrijheid. Zij hield zich persoonlijk met hen bezig en speelde een aantal keren voor Sinterklaas, waarbij haar secretaresse als zwarte piet moest fungeren.

De slachtoffers van het verzet hebben tot het allerlaatst de aandacht van prinses Wilhelmina gehad; toen de prinses overleed lagen er 5500 kerstkaarten klaar met de reproduktie van een schildering van Wilhelmina om aan deze mensen te worden verzonden.

Brieven, soms gericht aan 'lieve majesteit van het verzet' van oorlogsweduwen en anderen, werden steevast beantwoord en dan niet met standaardformuleringen. Toen er in 1955 in Winterswijk een beeld onthuld werd voor tante Riek, één van de voorvrouwen van de L.O.'s (landelijke organisatie voor hulp aan onderduikers) was de prinses erbij. Het was één van de herdenkingen van verzetsslachtoffers, waaraan de prinses deelnam. Men kan hierbij ook rekenen het feit dat zij in 1956 met koningin, prins en troonopvolgster aanwezig was op de Dam in Amsterdam bij een plechtigheid naar aanleiding van de Hongaarse opstand.

Wilhelmina heeft zich na haar abdicatie aan alle openbare verplichtingen met uitzondering van die als genoemde, onttrokken: dat kwam haar niet meer toe als 'onderdaan'. Er is één uitzondering: op zondag 1 februari 1953 belde zij haar secretaresse Jeanet Geldens met de boodschap dat zij zich gereed moest maken de volgende ochtend vroeg mee te gaan naar Zeeland. Mevrouw Geldens, die geen radio had gehoord, begreep er niets van; wat wilde haar 'mevrouw' zo ineens? De prinses lichtte haar in; twee dagen lang trok de 72-jarige op de meest primitieve wijze door het Zeeuwse rampgebied. Op een ogenblik gaf een van de roeiers van haar bootje Wilhelmina de raad haar schoenen uit te doen als zij over een smalle vlonder naar een huis wilde gaan. De prinses weigerde dit echter. Maar die avond, toen zij met mevrouw Geldens in de trein terug zat, trok zij haar schoenen wel uit: 'Zie je, waarom ik het vanmiddag niet kon doen?' De kousen van de prinses waren één en al gat, veroorzaakt door

▲ *Op 8 december 1962 wachtten koningin Juliana en prins Bernhard bij de Nieuwe Kerk in Delft op de komst van de kist met hun moeder. Hun dochters en een groot aantal genodigden, onder wie veel verzetsstrijders, waren al in de kerk. Wilhelmina had bepaald dat er geen rouw mocht worden gedragen; toch waren de koningin en de prinsessen in het wit, zoals ook na de dood van prins Hendrik.*

het sjouwen dat zij had moeten doen. Wel heel verschillend hiervan was haar laatste officiële optreden. In de zomer van 1956 zou de Grote Kerk van Breda opnieuw in gebruik worden genomen; de prinses had erin toegestemd aanwezig te zijn. Tegen veler verwachting in maakte zij geen bezwaar toen bleek dat men haar wilde laten plaatsnemen in de Prinsenbank, die deze naam had gekregen in de dagen van Willem de Zwijger en evenmin protesteerde zij, dat werd opgeroepen tot 'vlaggen'. Besefte de baronesse van Breda dat haar laatste gang er één zou zijn naar de plaats waar haar grote voorganger Willem van Oranje resideerde, toen hij zijn lot aan dat van de Nederlanden had gebonden?

De prinses had toen al het fietsen eraan gegeven; in het voorjaar van 1957 kreeg zij een eerste hartaanval en werden haar krachten steeds minder. Toch bleef zij bezig; conferenties waarvan zij onderdelen meemaakte en ontvangsten die zij helemaal bijwoonde gingen door, ook toen de mobiliteit van de prinses heel gering was geworden. Met Pasen 1962 geeft zij nog een boodschap naar aanleiding van de vergadering van de Wereldraad van Kerken in New Delhi. Daarin zegt zij: 'Vreugde en ontroering maakten zich meester van alle Christus-belijders over de gehele wereld bij het vernemen van de tijding der samenkomst in New Delhi, dat hun aller eenheid in Christus sterker was gebleken dan alle menselijke gescheidenheid; dat besef van eenheid, dat in de harten leeft, maar zich nog niet naar buiten had doen gelden.'

Nog in het laatste weekend van september 1962 ontving zij leiders uit de hervormde en gereformeerde Kerken, die op Het Loo over nieuwe relaties praatten. Ook nog daarna bleef zij bezig met haar uitgebreide correspondentie. Zij begon aan een brief aan haar 'broeder Johannes', paus Johannes XXIII, in wie zij een verwante geest voelde. Deze brief heeft zij niet kunnen voltooien. Haar gezondheid ging hard achteruit. Op 28 november overleed zij in haar slaap.

▲ *Op 3 mei 1982 onthulde prinses Juliana in Haarlem een monument voor de verzetsstrijdster Hannie Schaft. Deze stad was voor een groot deel Hannie Schafts werkgebied geweest. Naast de prinses de beeldhouwster van het monument, G. Menger-Oversteegen, die deel had uitgemaakt van dezelfde verzetsgroep.*

De liturgie voor haar begrafenis had zij persoonlijk samengesteld en zij had bepaald dat er geen kroon of scepter op haar kist mocht liggen, maar alleen een bijbel, die was opengeslagen bij de tekst: 'Opdat zij allen één zijn'. Het werd de Statenbijbel, die koning Willem III na de watersnoodramp van 1861 van het Nederlandse volk had gekregen.

Er waren voor de begrafenis natuurlijk talloze kransen, maar er hing er slechts één aan de witte lijkwagen met haar stoffelijk overschot: die van het gezamenlijke voormalige verzet.

Bij de aankondiging dat zij voornemens was te abdiceren, had koningin Juliana laten doorschemeren, dat zij niet alleen, samen natuurlijk met haar man, op Soestdijk zou blijven, maar ook dat zij hoopte zich als 'koningin-in-ruste' nog enigszins nuttig te kunnen maken in de samenleving. Drie dagen na haar abdicatie onthult de prinses aan de Hogeweg in Den Haag een monument voor de slachtoffers van het Englandspiel, dat in de Tweede Wereldoorlog door slordigheid en verraad aan zoveel verzetsmensen het leven heeft gekost. Weer twee dagen later is zij aanwezig bij de 5 mei-feesten in Den Haag. Op 7 mei is zij met de jonge koningin aanwezig bij de jaarlijkse herdenking op het Canadase militaire kerkhof in Groesbeek. Het is niet onwaarschijnlijk dat deze afspraken al

▶ *In 1985 bracht prinses Juliana een bezoek aan de Huishoudbeurs in Amsterdam. Als koningin had zij dit soort beurzen gemeden vanwege het risico sluikreclame te maken wanneer zij voor een artikel speciale belangstelling toonde. Die mocht zij wel hebben voor ingewikkelde machines voor het bedrijfsleven, maar niet voor gewone consumptie-artikelen. Na haar abdicatie voelde zij zich iets vrijer.*

De Ruijter
De Ruijter's

▲ *Lang voordat Juliana zich ervan bewust was, waren er al straten naar haar genoemd; die straatnamen moesten tijdens de bezetting op last van de nazi's verwijderd worden: het werden Juliana van Stolbergstraten. Dat gaf wel eens een doublure, maar daarop lette de bezetter niet. Hier onthult zij het naambord van een naar haar genoemd plein in Noordwijk (15 juni 1987).*

gemaakt waren, voor Juliana haar aftreden aankondigde.
Haar voornaamste aandacht blijft uitgaan naar de gehandicapten; nog in 1980 ontvangt zij de deelnemers aan een autorally voor gehandicapten.
Op 20 oktober van dat jaar is Juliana weer eens in de Ridderzaal, maar nu niet bij het parlement; in die zaal wordt de Nationale Commissie Internationaal Jaar voor Gehandicapten 1981 geïnstalleerd en daarvan is Juliana ere-voorzitter. Zij neemt heel wat meer deel aan de werkzaamheden van de commissie dan de meeste ere-voorzitters. Zij wordt nu helemaal maatschappelijk werkster. Het aantal openingen dat zij verricht en het aantal bezoeken dat zij brengt aan instellingen voor gehandicapten is legio. Als zij ergens komt is haar aandacht nog even intens als die altijd geweest is.
Aan oorlogsherdenkingen onttrekt zij zich niet helemaal. Op 30 april 1981 heeft zij haar verjaardag gevierd bij Christina in New York, maar op 5 mei is zij in de Amsterdamse Nieuwe Kerk, waar zij oud-verzetsstrijders toespreekt, voordat Beatrix verzetskruisen uitreikt. Het protocol bepaalt dat de koning(in) geen andere begrafenissen bijwoont dan die van haar naaste familie, maar nu gaat de prinses wel naar de begrafenis van haar tante prinses Alice, gravin van Athlone, wier man in de oorlog gouverneur-generaal was in Canada en naar die van ex-koningin Frederika van Griekenland.

Van de vele andere gelegenheden, waarbij de prinses aanwezig was, noemen wij het zesde lustrum van het Europese parlement op 9 september 1982 in Arnhem en de herdenking van de stormramp in Zierikzee op 1 februari 1983. Geen veertien dagen later opent zij de vijftigste Westfriese flora-tentoonstelling in Bovenkarspel, waarbij zij weer eens het bewijs levert, dat zij van bloemen en planten heel veel weet. Weer veertien dagen later is zij als ere-voorzitster aanwezig bij een symposium in Bilthoven, dat georganiseerd is door 'Redt de kinderen'. Zij is erbij als de Maastrichter Staar zijn eeuwfeest viert en zij neemt – één dag later dan de ko-

▲ *Over een nationaal monument voor koningin Wilhelmina in Den Haag is heel lang gedelibereerd; er zijn originele monumenten ontworpen, maar het is ermee geëindigd dat Charlotte van Pallandt een kopie maakte van haar beeld van Wilhelmina dat al vele jaren in Rotterdam stond. Het beeld is schuin voor het paleis aan het Noordeinde opgesteld, zó dat Wilhelmina haar grote voorganger Willem de Zwijger ziet.*

ningin – Hollandse nieuwe in ontvangst.
In oktober 1986 beleeft Juliana iets waaraan zij zeker nog vaak dankbaar zal hebben teruggedacht. Samen met haar man bracht zij een bezoek aan Israël; bij het meer van Galilea plant zij namens haar dochter een boom. Juliana heeft zoals veel Oranjes altijd warme belangstelling gehad voor joden en zij had die ook voor de staat Israël, die na de Tweede Wereldoorlog hun een nationaal tehuis moest verschaffen.
Het is een volmaakt willekeurige greep uit de vele malen dat Juliana bewees zich nog enigszins nuttig te kunnen maken voor de samenleving. Het is logisch dat haar activiteiten wat minder werden bij de voortgang van de jaren. Maar het is niet moeilijk ook uit latere jaren voorbeelden te geven van haar activiteiten. De 75ste verjaardag van de prinses werd door de gehele familie in Den Haag gevierd en dat beslist niet op een wijze die men van iemand van haar leeftijd zou verwachten.
Wij zouden voorbeelden uit de latere jaren kunnen geven, zoals de aanwezigheid van de prinses bij het galadiner dat Beatrix op 30 mei 1985 aanbood aan de president van de Bondsrepubliek Duitsland, Richard von Weizsäcker, ter gelegenheid van diens staatsbezoek of haar aanwezigheid op 18 april van dat jaar bij de herdenking in Westerbork.
Intussen gunde de prinses zich toch iets meer vakantie dan toen zij nog staatshoofd was; de verblijven in het Italiaanse Porto Ercole werden wat langer en ook de wintervakanties waren niet meer zo ingekneld tussen werkzaamheden. In 1982 brachten Juliana en Bernhard opnieuw een bezoek van ruim twee weken aan Indonesië; zij waren nu minder gebonden aan het protocol, dat zo belangrijk is bij een staatsbezoek. Maar toch waren er de nodige officiële ontvangsten en diners. In het najaar van 1983 reisde Juliana weer naar de Nederlandse Antillen. Daarvoor had zij een speciale reden: op de Antillen waren projecten tot stand gekomen die mogelijk waren geworden, omdat de prinses ze gefinancierd had uit giften die zij ter gelegenheid van haar zeventigste

▲ *De 75ste verjaardag van Juliana vierde het grootste deel van de koninklijke familie in Den Haag waar zij onder meer de kermis op het Voorhout bezochten. De prinses nam met kleinkinderen deel aan allerlei attracties. Hier heeft zij haar jongste kleindochter en naamgenoot op schoot; twee prinsen volgen haar op de carrousel.*

verjaardag had ontvangen van de Nederlandse en Antilliaanse bevolking.

Het kwam een beetje laat, maar op 30 april 1987 gaven Juliana en Bernhard een interview via de televisie in verband met hun gouden huwelijk, dat zij in januari hadden herdacht. De prinses reageerde fel op een vraag van interviewster Maartje van Weegen of wij goed zorgden voor onze bejaarden. Het antwoord was kort: 'Helemaal niet.' Om nadere uitleg gevraagd, zei Juliana: 'Omdat ik het zie. De eenzaamheid en het minder kunnen en het lijden aan dingen en het isolement en het verlies van mensen, van wie je houdt en ga maar door. Er zijn zoveel dingen die het een zware levensperiode maken. Maar ja, ze zeggen ook, dat het de mooiste is. Je hebt tenminste wijsheid.' Zo mogelijk nog feller is haar reactie als Maartje zegt: 'U mocht toch nooit tegengesproken worden?' 'Dat heb ik nog nooit gehoord,' zegt de prinses en als Bernhard interrumpeert, bitst Juliana: 'Mag ik even spreken? Als iemand ooit het grapje maakte: "Ik mag niet nee tegen u zeggen," dan werd ik echt kwaad. Dat is iets wat ik nooit geweten heb en dat wrijft u mij aan. Dat is zo gemeen, zo gemeen. Ik vind het zo oneervol, dat de mensen je niet eerlijk antwoorden. Je hoeft niet te zeggen: "Ouwe lelijkerd met je idiote ideeën," dat zeg ik ook tegen niemand. Maar ik zeg misschien: "Mevrouw, ik ben het niet helemaal met u eens, ik geloof dat u zich vergist. Ik weet, dat wat u zegt niet overeenstemt met de waarheid." Dat kan je toch tegen iedereen zeggen? Ik zeg ook niet: "Lelijke idioot," en als een van mijn oude vriendinnen dat zou zeggen, zou ik antwoorden: "Laat het woord lelijk d'r af."Juliana illustreerde haar verontwaardiging met een fors getimmer op de tafel. Mevrouw van Weegen had kunnen weten, dat de ge-

▲ *Op 16 september 1988 trok Juliana naar Maastricht. Daar woonde zij een thema-middag bij die georganiseerd was ter gelegenheid van het 75-jarig bestaan van de crèche Juliana.*

dachte dat iemand niet tegen haar in mocht gaan, nooit bij Juliana zou zijn opgekomen. Van kind af aan heeft zij gestreefd naar contacten met anderen, ook door gedachtenwisseling. Daarbij gaf zij wel blijk van tact; zo hield ds. Spelberg van de V.P.R.O. ooit voor haar en een groepje gasten een 'college' over bepaalde facetten van de islam. In de pauze ging Juliana naar de spreker toe; zij had iets gelezen dat in strijd was met hetgeen hij had gezegd. Ds. Spelberg moest erkennen dat hij van de inhoud van een enkele weken tevoren verschenen boek geen kennis had genomen. Het bleef een gesprekje tussen hen beiden.

In het televisiegesprek beklemde zowel de prinses als de prins, dat zij, ook na Juliana's abdicatie, niet alles konden zeggen wat zij best eens zouden willen uiten. Iets dergelijks zou de koningin in verlegenheid kunnen brengen. Zij kunnen publiekelijk alleen iets positiefs of iets negatiefs over een zaak zeggen, waarvan vaststaat dat zeker 99% van de Nederlanders er net zo over denkt. Als koningin heeft Juliana nooit gestemd; ook haar man deed het toen niet om niet de indruk te geven, dat hij voor een bepaalde partij was. Nu stemmen zij beiden wel, maar in het gesprek met Maartje van Weegen beklemtoonde Juliana dat zij toch echt partijloos is. Dit betekent niet dat de prinses niet nog altijd haar eigen opvattingen heeft, maar zij weet dat zij daaraan nooit publiekelijk uiting kan geven. Een koning en een ex-koningin zullen tot de allerlaatsten behoren, die volledige vrijheid van meningsuiting hebben.

Het interview dat Juliana's dochter Beatrix voor de televisie gaf bij haar vijftigste verjaardag toont echter wel aan dat die vrijheid toch aanzienlijk veel groter is geworden dan een eeuw geleden. De onderdanen van Emma en Wilhelmina zijn de medeburgers geworden van Juliana en Beatrix, bereid te luisteren naar de opvatting van hun vorstin en eventueel kenbaar te maken dat zij die niet – of wel – delen.

Literatuur

Princess Alice: For my grandchildren, Chatham (Kent) 1966

Louise B.B.: De jeugd onzer koningin, Rotterdam 1891

Mr. dr. J.P.D. van Banning: Het huwelijk van H.K.H. prinses Beatrix, Zaltbommel 1966

A.J. Barnouw: Holland under Queen Wilhelmina, New York 1923

Henriëtte L.T. de Beaufort: Wilhelmina 1880-1962, Den Haag 1965

G. v.d. Boomen en Han Lammers: Beatrix en Claus, Den Haag 1965

Thijs Booy: De levensavond van koningin Wilhelmina, Amsterdam 1965

M.A. Brave-Maks: De koningin in Londen, Zutphen 1980

R.W.A.M. Cleverens: Herinneringen aan mevrouw Van Loon-Egidius, Middelburg 1981

D.H. Couvee: Leve de Willemien, Den Haag 1958

Sefton Delmer: Trail sinister, Londen 1961

A. den Doolaard: Het leven van een landloper(4e druk), Amsterdam 1979

Gedenkboek: De koningin-moeder 1879-1929, Leiden 1929

Gedenkboek 1898-1923. W.G. de Bas, Amsterdam 1923

Gedenkboek(officieel) 1938 red. W.G. de Bas, Amsterdam 1938

Gedenkboek bij de troonsbestijging van koningin Juliana, Amsterdam 1948

Dr. P. Geyl: Koningin Wilhelmina herdacht, Utrecht 1962

Gijs van der Ham: Wilhelmina in Londen 1940-1945, Haarlem 1980

E. Heldring: Herinneringen en Dagboek, Groningen 1970

H.J.A. Hofland e.a.: Vastberaden maar soepel en met mate, Amsterdam 1976

Dr. L. de Jong: Het koninkrijk der Nederlanden in de Tweede Wereldoorlog, Den Haag 1969 e.v.

Dr. L. de Jong: Koningin Wilhelmina in Londen, Den Haag 1966

Juliana: Mijn naam is Juliana, Wageningen 1949

Juliana regina 1948/49 en alle volgende jaarboeken, samensteller D. Wijnbeek, Baarn 1949 e.v.

G.L. Kepper: Het regentschap van koningin Emma, Den Haag 1898

G.L. Kepper: Koningin Wilhelmina in haar openbaar leven, Den Haag 1898

Dr. G.W. Kernkamp: De koningin-moeder herdacht, Utrecht 1934

J.G. Kikkert: Wilhelmina, Houten 1987

J.G. Kikkert: Juliana 80 jaar, Baarn 1989

Fred.J. Lammers: Van prinses tot grootmoeder, Baarn 1969 en vele andere publicaties van deze auteur.

Rie Marsman: Haar werk ging door, Den Haag 1948

De monarchie in Nederland, onder red. van dr. C.A. Tamse, Amsterdam 1980

De monarchie, P.H. Winkelman e.a., Amsterdam 1966

Jan Roelfs: Adieu van een volk, Amsterdam 1963

A. Roland Holst: Aan prinses Beatrix: de prins weergekeerd, Bussum 1965

Gerard Rutten: Ontmoetingen met koningin Wilhelmina, Utrecht s.a.

E. Saxton Winter: Toen onze koningin nog prinsesje was, Amsterdam, s.a.

Dra M.G. Schenk en J.B.Th. Spaan: Vorstenhuizen in onze tijd, Baarn 1963

Dra M.G. Schenk en Magdaleen van Herk: Juliana, vorstin naast de rode loper, Amsterdam 1980.

Magdalena Schenk: Juliana, queen of the Netherlands (ook in een reeks andere talen) Lochem 1970

Dr. G.M. Slothouwer: Vorstin en volk, Rotterdam, 1898

P. Vergers: De bloedstrijd, Doesburg 1898

Vijftig jaren 1898-1948, gedenkboek, Amsterdam 1948

Dr. J. Waterink: Onze jonge koningin thuis, Wageningen 1948

Wilhelmina: De koningin sprak 1940-1945; 1944 illegaal, 1945 legaal, Amsterdam

Wilhelmina: De grote onbekende en vele andere brochures, Amsterdam 1949-1962

Wilhelmina: Eenzaam maar niet alleen, Amsterdam 1959

H.A. van Wijnen: Van de macht des konings, Amsterdam 1975

In het gemeente-archief van Den Haag bevindt zich een boekje(zonder titelblad) 'Levensbeschrijving van H.M. koningin Wilhelmina'. Alle andere boeken over Wilhelmina's jeugd zijn daarop gebaseerd.

In de citaten is steeds de nu geldende spelling gehanteerd.

Fotoverantwoording

Omslag: de koningsmantel is afkomstig uit de collectie van het Oranje Museum te Baarn
Foto schilderij Emma en foto Wilhelmina: Stichting Historische Verzamelingen van het Huis Oranje-Nassau, Den Haag. Foto's Juliana en Beatrix: Nationaal Foto Persbureau, Amsterdam.

ABC Press, Amsterdam: blz. 23, 55, 64 onder, 67, 68 boven
Anefo, Amsterdam: blz. 38 onder, 48, 105, 106/107, 108 boven, 110
ANP-foto, Amsterdam: blz. 12, 76, 78 onder, 109 boven, 143
Benelux Press, Voorburg: blz. 66 onder, 72, 75 rechts, 116
City Photo/Video Gouda (Joop C. Dorst): 78 boven
Gemeente Archief, Den Haag: blz. 96 boven
Koninklijk Huis Archief, Den Haag: blz. 11, 20/21, 22 rechts, 29 links, 34 boven, 46, 47, 49, 61, 64 boven, 71, 81 boven, 97 onder, 98, 99, 103, 136, 137, 141
Rein van Looy, Amstelveen: blz. 138
Nationaal Foto Persbureau, Amsterdam: blz. 9 rechts, 10, 14, 15, 16, 30, 32/33, 35 rechts, 37, 50, 52, 53, 54, 56, 63, 65, 66 boven, 68 onder, 70, 73, 77, 88 onder, 89, 111, 112, 113, 114, 120, 121, 122, 123, 125, 126, 127, 128/129 (kleurenfoto's), 130/131, 132, 133, 134 boven, 135, 139, 144, 145, 146, 147, 148, 149
Oranje Museum, Baarn: de objecten van blz. 28 rechts, 36 links, 91 onder
Rijks Instituut Voor Oorlogsdocumentatie, Amsterdam : blz. 101, 106 links
Rijksmuseum Paleis Het Loo, Apeldoorn: blz. 24, 25
Rijksvoorlichtingsdienst, Den Haag: blz. 27, 32, 36, 57, 58/59, 63, 69 (foto: Max Koot), 82/83, 92, 97 boven, 104, 108 onder, 134 onder (uit: NOS-tv-produktie 'Beatrix, koningin' van 29 april 1988)
Spaarnestad Fotoarchief, Haarlem: blz. 80, 96 onder
Stichting Historische Verzamelingen van het Huis Oranje, Den Haag: blz. 79
Stichting Lichtbeelden Instituut, Amsterdam: blz. 22 links, 59
Caroline Veldkamp, Landsmeer: blz. 17
Waldecker Geschichtsverein, Arolsen: blz. 41

Met dank aan het Oranje Museum, Baarn en Museum Flehite, Amersfoort